pom

pompéi

guide du site

textes
Pier Giovanni Guzzo
Antonio d'Ambrosio

photographies
Alfredo et Pio Foglia

electa napoli

Electa Napoli

Rédaction
Silvia Cassani

Graphique
Paolo Altieri
Flavia Amendola

Traduction
Claire Challéat

En couverture
Villa des Mystères, détail de la mégalographie avec rite d'initiation

A p. 1:
Statuette en bronze des Lares, de Pompéi, Maison des Amours Dorés. Naples, Musée Archéologique National

A p. 2:
Statue en bronze d'Apollon, de Pompéi, Temple d'Apollon. Naples, Musée Archéologique National

Le dessin du plan de Pompéi est de Riccardo Marlo
Les photos aux p. 1-2, 12-13, 16-17, 20-25, 29-31, 35-53 en bas, 57 en bas, 62 en bas, 62, 68 en bas, 70, 76-77, 80, 84, 100, 102 en bas, 110 en haut, 116 en bas, 129 en bas sont de Luciano Pedicini - Archivio dell'Arte
Les photos aux p. 8, 19, 42, 45, 47-48, 75, 78-79, 81, 83, 88-89, 91, 107 en bas, 109, 117, 123 en haut, 128 en haut, 129 en haut, 131, 134, 143, 154, 156 sont de Luciano Romano

Les fiches n. 1, 3, 19-23, 26, 41, 46, 59 sont de Tiziana Rocco

Avertissement
L'emplacement des entrées, guichets, toilettes, librairie, indiqués sur le plan du site, peut être sujet à variation.
L'indicatif qui précède les fiches des Maisons est relatif à l'adresse, fixée par convention à l'époque moderne: regione, insula (lotissement), numéro

I édition 1998
I édition mise à jour 2002
Imprimé en Italie

sommaire

Le Vésuve et le Forum de Pompéi

Une petite place est réservée à Pompéi dans l'imaginaire de l'Européen cultivé: depuis le milieu du XVIII siècle les découvertes d'Herculanum, Pompéi et Stabies suscitent, selon des degrés d'attention différents, l'intérêt ou la curiosité. Au cours des fouilles d'un puit, au début des découvertes, le hasard révéla l'affleurement de décorations et de sculptures antiques qui devinrent, immédiatement, un élément de comparaison pour la connaissance de l'antiquité classique. Cette dernière provenait presque intégralement de Rome, sur laquelle régnait le pape, entouré des nobles et puissantes familles des cardinaux. Dans les collections de statues, de mosaïques, et de décors, comme dans les monuments encore visibles, du Colisée au Panthéon, des arcs de triomphe aux colonnes historiées, la domination pontificale puisait de nouveaux motifs de légitimation. Avec sa sagacité politique, le nouveau roi de Naples, qui devint ensuite Charles III d'Espagne, suggéra que les découvertes archéologiques inattendues pouvaient être utilisées aussi comme un instrument de gouvernement. Le contrôle des opérations de fouilles fut restreint au milieu le plus étroit de la cour. C'était le roi qui autorisait, une par une, les visites des fouilles en cours et des collections abritées dans le Palais royal de Portici, qui s'enrichissaient progressivement. C'est au roi qu'étaient quotidiennement référées les découvertes que l'on réalisait dans l'obscurité des galeries de fouilles. Les savants qui constituaient l'*Accademia Ercolanese*, instituée en vue de procéder à la publication des résultats des fouilles, étaient nommés par décision royale. Et c'était encore le roi qui désignait les destinataires des précieux volumes in folio, contenant les

Villa des Mystères, détails de la mégalographie (fresque avec figures presque à grandeur nature) avec rite d'initiation

gravures et les descriptions des fresques, des mosaïques, des statues, des ustentiles que l'on avait découverts.
Malgré un contrôle centralisé si rigide et en opposition avec les rivalités récurrentes qui divisaient les Académiciens, l'intérêt et la curiosité pour les fouilles prit rapidement une dimension européenne. Johann Joachim Winckelmann, le fondateur de l'archéologie moderne, fut un de ceux qui contribuèrent à la diffusion des informations dans ce domaine. D'origine saxonne mais actif depuis de nombreuses années à Rome comme bibliothécaire et antiquaire auprès du cardinal Albani, Winckelmann était le meilleur connaisseur des collections et des antiquités romaines; et il désirait naturellement confronter ces antiquités avec celles que l'on était en train de retrouver à Herculanum et à Pompéi. Les limites et les obstacles qu'il rencontra ne lui firent pas bonne impression et il ne manqua pas d'enregistrer, et de faire ainsi connaître à tout le milieu européen cultivé les ingénuités et les erreurs commises lors des fouilles. En même temps, Winckelmann illustrait clairement l'intérêt exceptionnel que constituait la connaissance devenue maintenant possible de villes antiques entières. Des connaissances improbables à Rome, qui avait continué à vivre sur elle-même, détruisant et dérobant progressivement au regard ses phases les plus anciennes, dont elle conservait néanmoins des éléments singuliers: en comparaison avec ceux-ci les découvertes d'Herculanum et de Pompéi, constituées de décors d'intérieur quotidiens plus que d'oeuvres d'art, faisaient piêtre figure sur le plan artistique. Et ce malgré la nouveauté que constituait le grand nombre de fresques (totalement inconnues à Rome à cette époque): et c'est vers ceux-ci, comme vers le théâtre d'Herculanum dont on redécouvrait l'étendue entière, que s'orienta plus particulièrement l'attention de Winckelmann.
L'époque de la critique et de l'approfondissement scientifique dans l'étude de l'antiquité n'étaient pas encore venus, à tel point que, lors de son long voyage en Italie, Goethe fut déçu par les «maisons de poupée» mises à jour à Pompéi. Le concept idéal de classique, défini d'avance dans le goût de cette période, s'opposait à la réalité et à l'évidence de ce qui voyait le jour. A tel point que Goethe fut beaucoup plus impressionné par la majesté des temples encore solennellement dressés dans la plaine silencieuse et marécageuse de Paestum: presque un avertissement.
De ces origines antiques, les touristes et les visiteurs ont aujourd'hui sous les yeux un aperçu unique: une ville entière, immobilisée par l'éruption qui l'ensevelit en une seule nuit, celle du 24 août de l'an 79 ap. J.-C.
De nombreuses difficultés s'opposent à l'immédiateté apparente de la compréhension: à commencer par la séparation qui a eu lieu entre les objets décoratifs et mobiles et les structures architecturales. Meubles, ustensiles, décors, sculptures, décorations, fresques et mosaïques ont été transportés au Musée Archéologique National de Naples. Ils constituent le plus vaste échantillon qui nous

soit parvenu de la culture et de la vie quotidienne en Campanie au début du I siècle ap. J.-C. En revanche, les murs, les maisons, les temples, les rues, les fontaines, les théâtres sont restés là où ils furent construits: ils représentent le squelette de la ville de Pompéi. Dans sa phase ultime.

La vie et l'histoire de Pompéi, en 79 ap. J.-C. duraient depuis déjà presque 1000 ans.

La couverture est composée de cailloux; dans certains cas un petit réceptacle est ajouté à la fosse.
C'est sur la hauteur dominant toute la côte que se construira le Pompéi historique: celui-ci également fut précédé par un site de l'époque protohistorique, dont nous sont parvenus de rares fragments de céramiques, mais aucune trace certaine de structures d'habitation.

Maison des Vettii, détail du décor peint de la salle latérale

Le fleuve Sarno se jette, aujourd'hui comme alors, dans la Mer Thyrénienne: de sa source au pied du Mont Torrenone, il parcourt la vaste et fertile plaine de Nola. Son embouchure se confond avec les marais qui caractérisent une côte basse, coincée entre le promontoire de la pointe de Sorrente et le versant sud du Vésuve.
Là où le fleuve se jette dans la mer s'élèvent plusieurs petites hauteurs qui dérivent d'un cratère volcanique de très lointaine origine. Sur une de ces hauteurs, dans la localité de Sant'Abbondio, on a retrouvé un site remontant à l'âge du bronze moyen, à environ 1500 ans av. J.-C. On en connaît actuellement la nécropole, constituée de sépultures à fosse creusées dans la terre rougeâtre. Les défunts sont déposés légèrement recroquevillés, avec quelques objets dans la partie supérieure de la fosse.

La civilisation de l'âge du bronze fut elle aussi interrompue par une catastrophique éruption du Vésuve. Des fouilles récentes effectuées à Palma Campania, entre Pompéi et Nola, ont mis en évidence un village enseveli par les cendres et les pierres ponces crachées par le volcan.
Les conditions favorables qu'offrait la hauteur de Pompéi en justifièrent l'occupation également au cours de l'âge du fer, après l'an 1000 av. J.-C. De cet aménagement, qui s'étendait sur plus de 70 hectares, on pouvait observer l'embouchure du fleuve Sarno et donc à la fois le trafic le long du fleuve et de sa vallée, et l'accostage en rapport avec la navigation dans la baie de Naples.
La plaine formée par le fleuve Sarno présentait, entre le IX et le VII siècles avant Jésus-Christ, un dense réseau d'habitats. San Marzano, San Valentino Torio et Striano,

essentiellement à travers leurs nécropoles, représentent nos principales sources de connaissances. La culture matérielle qui y est documentée se réfère à celle dite des «tombes à fosse»: les défunts étaient inhumés dans des fosses creusées dans le sol, et déposés entourés d'un ensemble d'objets personnels et de récipients fonctionnels. Grâce aux diverses compositions du mobilier funéraire, il est possibile de distinguer le sexe, la classe d'âge, et, pour les phases plus récentes, l'appartenance sociale du défunt.
L'établissement de la chronologie absolue est facilité par la présence de récipients en céramique d'importation, provenant de la colonie grecque de Pitecusa sur l'île d'Ischia, mêlés aux produits locaux.
Avant la fin du VIII siècle av. J.-C., des marins grecs originaires de l'île de Eubea s'installèrent à Pitecusa: Ischia constitue donc le plus ancien site grec fixe en Italie. De la colonie de Pitecusa, dans laquelle étaient présents des Phéniciens et d'autres individus originaires d'Asie mineure, les routes commerciales atteignaient l'Étrurie: mais, évidemment, une activité particulièrement intense concernait les côtes voisines de la Campanie. En ce qui nous concerne, l'embouchure du Sarno fournissait, comme on l'a dit, de bonnes conditions pour accoster, et le cours du fleuve permettait la liaison entre la côte et l'intérieur des terres.
L'état des connaissances actuelles ne nous permet pas d'établir avec certitude que l'habitat attesté à Pompéi ait tiré parti d'une telle dynamique d'échanges et de rapports. Les informations analogues mises au jour à Pontecagnano (Salerno) nous illustrent le développement de ce centre, ici aussi grâce à la possibilité des échanges et du commerce avec les colons grecs de Pitecusa, facilités par l'embouchure du fleuve Tusciano à l'extrémité de laquelle s'est installé le site. En revanche, l'habitat indigène établi sur la colline de Cumes n'a pas fourni une documentation similaire.
Sur ce, par manque de découvertes effectuées à Pompéi même et étant donnée l'ambiguité des situations les plus proches qui pourraient constituer un modèle analogue, il semble plus prudent de laisser la question en suspens.
Une telle incertitude, toutefois, n'affaiblit pas la reconstruction, à grandes lignes, de la dynamique suivie par le peuplement de la plaine du Sarno pendant cette période.
Progressivement, les habitats d'origine de l'intérieur de la plaine sont abandonnés pour les nouveaux sites de Nocera et Nola.
Parallèlement, des traces d'une présence sur le territoire de Boscoreale au cours du VII

Maison des Vettii, petit tableau avec bataille navale

Mosaïque avec musiciens ambulants et mosaïque avec consultation d'une sorcière. Signés par l'artiste Dioskourides, retrouvés dans la «Villa de Cicéron», ils se trouvent aujourd'hui à Naples, Musée Archéologique National

siècle av. J.-C. sont attestées par des documents; et un nouvel habitat côtier voit le jour près de l'actuel Castellammare di Stabia, dans la localité de Madonna delle Grazie.
Le tableau général des présences politiques en Campanie entre la fin du VII siècle et le début du VI siècle est caractérisé par la forte expansion des Étrusques du sud. Ces derniers sont attestés, désormais depuis deux siècles, à Capoue sur le fleuve Volturne, dont l'embouchure offrait de bonnes possibilités pour l'accostage des bateaux provenant de Cerveteri et Vulci. Le développement des principales villes de l'Étrurie, en particulier Vulci, conduisit ainsi à faciliter un afflux renouvelé, qui constituait une sorte de «concurrence» pour le développement grec contemporain. Les descendants des colons eubéens de Pitecusa sont désormais depuis plus d'un siècle fortement implantés à Cumes, sur la terre ferme, d'où ils ont gagné, par Pouzzoles, au moins Partenope (Naples).
Que l'expansion étrusque en Campanie se soit vérifiée principalement par voie terrestre ou par voie maritime est une question très débattue par les chercheurs. L'élément certain est la présence constante de produits étrusques tant dans les habitats côtiers que dans ceux de l'intérieur. Ainsi, à Castellammare di Stabia, sont présents, outre le *bucchero*, des récipients figurés de fabrication étrusque vulcienne. Et à Pompéi également, les récipients en *bucchero* sont très nombreux: ils se mêlent aux récipients grecs décorés à figures noires, démontrant ainsi la complexité et l'entrecroisement des courants commerciaux en Campanie pendant la période arcaïque. Il faut rappeler que les langages locaux, employés par les populations italiques indigènes, sont enregistrées par des

ΔΙΟΣΚΟΥΡΙΔΗΣ ΣΑΜΙΟΣ ΕΠΟΗΣΕ

formes alphabétiques dérivant de l'alphabet étrusque plutôt que de l'alphabet grec.
L'intensification des présences matérielles et culturelles dans cette zone territoriale a engendré avant le milieu du VI siècle av. J.-C. une modification radicale de l'habitat de Pompéi.
Dans la zone la plus élevée s'est implanté un

Temple «de Vespasien», relief en marbre avec sacrifice d'un taureau

lieu de culte qui semble dédié à Apollon, auquel répond un second sanctuaire placé à la limite sud-est de la colline. Cette dernière est complètement englobée par un mur de défense, construit en blocs parallélépipédiques obtenus à partir de la lave tendre extraite de la partie supérieure des coulées de lave («pappamonte»). Au moins une construction, probablement à destination cultuelle et fréquentée par des importateurs de culture étrusque, est documentée dans le secteur nord-ouest (par la suite *Regio* VI), au coeur d'un bois de hêtres.
L'ensemble de ces évidences nous permet d'affirmer que la structure de l'ancienne station de contrôle de l'embouchure du Sarno a été conçue afin de garantir à la fois une plus grande sécurité aux habitants et les fonctions d'accueil et d'échange pour les personnes de provenances diverses qui s'y rendaient à des fins commerciales. Le temple au sud-est (ensuite «Forum Triangulaire») était peut-être dédié à Hercule. Il faut rappeler que le héros demi-dieu préside de nombreux lieux de culte dans les zones d'échanges et de frontières entre résidents et étrangers: des célébrissimes colonnes d'Hercule à l'aire sacrée près du port sur le Tibre de la Rome arcaïque.
En outre, l'emplacement de ce temple sur les hauteurs de la colline, vers le fleuve, en accentue le caractère marginal, notamment par contraste avec la centralité de la position du Temple d'Apollon. On peut voir dans un tel emplacement un indice ultérieur de sa fonction supposée: dans ce temple peuvent avoir lieu les rapports avec les étrangers et, sans admettre réellement ces derniers dans la ville, on peut réaliser avec eux des échanges commerciaux.
Les découvertes effectuées à Pompéi concernant le VI siècle av. J.-C. se réfèrent autant à la culture grecque qu'à la culture étrusque, mais il n'est pas facile de définir auquel de ces deux peuples revient le contrôle de la région: la polémique entre les archéologues est encore vive. Il nous semble,

toutefois, que la question doit être abordée d'une manière différente: puisqu'il semble que le contrôle général de la vallée du Sarno et de sa côte doit être associé de manière plus convaincante à la population indigène des Aurunci. Par un contact continu et bénéfique avec les Grecs et les Étrusques, les Aurunci ont appris les éléments suffisants pour

Une information rapportée par Strabon (5, 4, 8) semblerait s'opposer à cette interprétation: «Les Osques tinrent Herculanum et la voisine Pompéi, vers laquelle coulait le fleuve Sarno; après eux la tinrent les Étrusques et les Pélasges et après encore les Samnites, lesquels, enfin, en furent chassés (par les Romains)».

Maison des Amours Dorés, relief en marbre avec masques de Ménade et Pan, décorant le jardin

réaliser la construction de la muraille défensive et la définition de lieux de culte dans lesquels honorer les divinités locales qui permettaient un syncrétisme avec les divinités propres aux étrangers avec qui ils rentraient en contact à des fins commerciales.
On peut donc supposer que le Pompéi arcaïque (comme ses phases ultérieures) n'a jamais été contrôlée politiquement ni par les Grecs ni par les Étrusques: mais que son emplacement géographique privilégié, comme les opportunités de sa terre ferme, y ont favorisé la convergence de plusieurs peuples à la recherche du commerce et de l'échange. Et une telle convergence a provoqué un transfert de connaissances et de réalisations non redevables aux Aurunci, qui se les sont toutefois appropriées et les ont utilisées pour pouvoir traiter d'égal à égal et de manière avantageuse avec les étrangers.

Comme d'habitude dans le texte de ce géographe qui a vécu au I siècle av. J.-C., l'allusion aux vicissitudes traversées est rapidement résumée; en outre, les Pélasges sont explicitement évoqués au côté des Étrusques. Cette population mythique est généralement interprétée comme une référence générique à des groupes indigènes dont on avait oublié le nom distinctif, mais que l'on pensait avoir été en rapport avec les Grecs. Et, fait qui a une valeur similaire bien qu'indicielle, il est à rappeler que les recherches archéologiques nous indiquent que la plus forte présence étrusque structurée se trouvait à l'intérieur des terres, entre Capoue et Pontecagnano, plutôt que sur la côte. Enfin, aucune des recherches archéologiques menées jusqu'ici à Pompéi nous a permis de prendre connaissance d'éléments structuraux se référant plutôt à la

Détail d'une fresque de jardin, provenant de Pompéi. Naples, Musée Archéologique National

Mosaïque avec portrait féminin, provenant de Pompéi, Maison VI, 15, 14. Naples, Musée Archéologique National

culture étrusque que à celle, mixte, répandue dans toute la région. A propos du texte de Strabon, une dernière considération concerne les nécessités de communication du géographe: celui-ci, justement pour mieux se faire comprendre de ses lecteurs, se réfère généralement à des populations connues, mentionnant en outre plus leurs traits culturels qu'ethniques. Et, comme en témoigne l'archéologie, les produits matériels étrusques étaient largement présents à Pompéi.

L'habitat à l'intérieur des murailles défensives en lave tendre doit, semble-t-il, être attribué aux Aurunci, et inclut des lieux de culte et de possibles noyaux de résidents non-indigènes. Excepté la presque totale absence de connaissance concernant les structures architecturales se référant à la période arcaïque, il est aussi possible de considérer, à titre d'hypothèse de travail, l'état des connaissances actuelles comme correspondant à la réalité antique. Il est en effet connu que les habitats indigènes arcaïques étaient constitués de structures habitatives légères, construites en bois et, parfois, en briques. Les restes de ces phases peuvent donc aisément avoir été détruits par les phases habitatives ultérieures, constituées d'édifices construits en maçonnerie et donc nécessitant de creuser pour en réaliser les fondations. Ils nous est alors totalement impossible de les connaître.

Enfin, il semble possible de rapporter à cette même période arcaïque la dénomination «Pompéi» sous laquelle le site continue à être connu. Le toponyme est de racine italique, assimilable à celle du nombre «cinq». Une telle signification peut indiquer que «cinq» groupes se sont fédérés pour habiter ensemble et donc contrôler le point fort à l'embouchure du Sarno. Si l'on considère que «cinq» est le nombre des doigts d'une main, on en retient que la notation, loin d'être spécifique assume au contraire une valeur générale. Et dans ce cas «tous» les groupes jusqu'alors éparpillés sur un territoire, dont nous ne sommes pas en mesure de définir avec exactitude les confins, autour de la hauteur à l'embouchure du Sarno affluèrent vers Pompéi.

Il semble en outre que la dynamique du peuplement de Pompéi soit à mettre en relation avec la disparition progressive de Stabies. Comme si Pompéi avait été considérée suffisante à garantir le contrôle et l'exploitation du trafic affluant dans la zone de l'embouchure du Sarno. Si cela s'est déroulé pacifiquement ou avec de violents affrontements entre les deux villes, il n'est plus possible – ou pas encore possible – de le savoir.

Des informations ultérieures pourraient provenir d'Herculanum, que Strabon associe étroitement à l'histoire de Pompéi. Il est à observer que le toponyme de la cité côtière est clairement grec et dérive du nom du héros Hercule. Nous ne pouvons toutefois pas savoir s'il dérive d'un toponyme italien identique, se référant lui aussi au héros largement vénéré par les populations anhelléniques, ou bien d'un toponyme présentant des assonances avec le nom. La diffusion de toponymes composés à partir du nom du héros est largement attestée dans le

territoire par le nom antique, *Petra Herculis*, de la petite île face à Castellammare di Stabia actuellement connue comme Rovigliano.
Les guerres entre Étrusques et Grecs pour la domination complète de la Campanie conduisirent à la bataille navale définitive de l'an 474 av. J.-C. Au cours de celle-ci, la flotte étrusque fut mise en déroute et dispersée par celle de Syracuse, permettant ainsi aux villes grecques de Cumes et Neapolis de développer leur commerce et leurs propres sphères d'influence, sans avoir à se confronter avec les initiatives de leurs concurrents étrusques.
Bien que les détails de l'évolution exacte des événements nous échappent, c'est dans de telles circonstances que s'insère la restauration de la première enceinte défensive de Pompéi. A la lave tendre est adossée une double enveloppe en solides blocs parallélépipédiques de calcaire du Sarno, renforcée par des tours à plan quadrangulaire. Nous ne savons pas à qui revient la paternité de cette réalisation ni l'autorité politique et l'autonomie financière qui furent nécessaires. Les particularités constructives et architecturales ne designent exclusivement aucun des trois acteurs en scène pendant cette période: Grecs, Étrusques et Italiques, peut-être pas encore complètement «samnitisés». Il n'est pas à exclure non plus que ces derniers aient pu s'allier, en alternance, avec les Grecs et avec les Étrusques, afin d'enrichir la nouvelle réalisation par l'apport des connaissances techniques nécessaires.
Le renforcement des murs qui reprennent exactement le tracé des précédents en lave tendre, et en particulier la définition des portes de la ville, sont des éléments qui indiquent les modalités de l'insertion de Pompéi dans le réseau de communication de la région. La ville est donc une composante et en même temps le témoin d'un peuplement territorial que la «samnitisation», achevée avant le V siècle av. J.-C., a fixé dans des formes destinées à durer jusqu'à la romanisation complète.
Il est peut-être possible de déduire une transformation partiale de l'analyse des rapports commerciaux entretenu par Pompéi. Il convient en effet d'introduire un nouvel élément de connaissance: au cours de la seconde moitié du VI siècle av. J.-C., dans la localité de Bottaro, sur la dune de sable délimitant les derniers marais du fleuve Sarno la plus enfoncée dans la mer, on avait aménagé un lieu de culte peut-être alors déjà dédié à Poséidon, le dieu de la mer. Les informations arcaïques concernant Bottaro connues jusqu'à cette période ne sont plus attestée au cours du V siècle tandis qu'elles reprennent pour les siècles suivants. On peut peut-être en extraire un indice mince, que l'on peut interpréter comme un affaiblissement, certes pas comme une interruption complète, des échanges maritimes, comme on a pu le vérifier par ailleurs à Stabies, à travers le manque de matériel du V siècle av. J.-C.
On peut peut-être en déduire que l'on privilégiait le transit commercial par voie de terre, suivant une tendance qui affectait toute la région: en raison de la puissance maritime de Syracuse, les rapports avec l'Étrurie thyrénienne étaient désormais rompus, tandis que se consolidaient les cités grecques agricoles de Cumes et Neapolis comme les villes samnites situées dans les plaines intérieures. Parmi ces dernières, Nola, de laquelle proviennent de nombreux vases attiques à figures rouges très raffinés, est la plus liée à notre sujet.
Sous cet angle, il est également possible de comprendre la stabilisation progressive, à l'intérieur des murs, du schéma de l'habitat de Pompéi qui commence à devenir un complexe urbain. La forme naturelle du relief dégage deux accès principaux sur le côté nord: l'un en rapport avec la future «Porte du Vésuve», l'autre avec la future «Porte d'Herculanum». la première concerne la voie vers la montagne qui contourne le Vésuve et se dirige vers l'intérieur, tandis que la seconde conduit à la voie côtière et en particulier vers Herculanum et Naples.
En direction du sud, en revanche, un vallon interrompt l'extension du plateau, constituant ainsi une voie naturelle pour le transit en provenance de la «Porte du Vésuve» poursuivant vers Stabies. La communication en direction de Nocera est assurée par la «Porte de Nocera»: elle doit être perçue semble-t-il comme une diramation du parcours vers Stabies. La plus récente urbanisation du secteur oriental de Pompéi a certainement effacé les traces de cette voie à l'intérieur de l'enceinte fortifiée.

Maison de Pansa, les grandes colonnes ioniques du jardin

La régularisation de la configuration géomorphologique naturelle a dégagé différents quadrants qui divisent l'habitat à l'intérieur des murs. Le quadrant sud-ouest correspond à la dénomination traditionnelle de *Altstadt* (cité antique): dans celui-ci se trouve le centre de la ville avec le forum et le temple d'Apollon mais le tracé des rues n'y est pas régulier. Le quadrant nord-ouest (principalement *Regio VI*) conserve le parcours urbain en direction de la place du forum depuis la voie de la côte: sa survivance apparaît clairement dans l'interruption que la *via Consularis* présente encore dans l'*insula* 4 de la *Regio VI*.
Les deux quadrants orientaux sont délimités à l'ouest par la rue de Stabies, rectiligne, qui relie la Porte du Vésuve à la Porte de Stabies. De par leur caractéristiques cadastrales et métrologiques, ils remontent à un plan d'urbanisme mis en place probablement entre le V et le IV siècle av. J.-C.
Bien que les témoignages archéologiques complets et décisifs, dérivant de fouilles stratigraphiques relatives à des réalisations résidentielles de cette période, continuent à manquer, on peut admettre qu'avant la fin du IV siècle av. J.-C. la ville de Pompéi avait adopté le schéma qui persistera, excepté pour l'édification progressive, jusqu'en 79 ap. J.-C.
Auparavant, se succèdent en effet les événements connus comme les guerres samnites. Rome et les populations samnites, principalement celles qui occupaient l'actuelle Campanie, s'affrontèrent dans le but de s'assurer la domination complète sur cette riche région. Les combats furent incertains jusqu'à la fin: la défaite subie par l'armée romaine aux Fourches Claudines ne

Scène érotique, de Pompéi, Maison de Caecilius Iucundus. Naples, Musée Archéologique National

compromit toutefois pas la victoire finale sur les Samnites.
Dans un tel panorama, en 310 ac. J.-C. Livius (9, 38, 2-3) rapportait l'épisode suivant: "Une flotte romaine fut conduite en Campanie par Publius Cornelius que le Sénat avait placé au commandement pour la défense de la côte; amarrées à Pompéi, les troupes alliées (composées de Romains et des alliés d'autres villes du Latium) se répartirent pour piller la campagne de Nocera. En peu de temps ils saccagèrent les zones côtières afin de s'assurer le refuge sur les bateaux: mais, comme il advint, ils furent tentés par le désir d'une nouvelle proie et, pour cela, s'avancèrent et provoquèrent les ennemis. Parmi ceux-ci personne ne leur fit obstacle bien que les Romains, s'étant disersés, auraient pu être complètement repoussés. Toutefois, tandis qu'ils empruntaient en groupes peu attentifs le chemin du retour, les paysans leur tombèrent dessus, non loin des bateaux, récupérèrent le butin et en tuèrent quelques uns. La masse tremblante de ceux qui échappèrent au massacre se réfugia dans les bateaux".
Nous en déduisons que Pompéi conserve sa fonction de défense contre un éventuel abordage à l'embouchure du Sarno, et de contrôle du transit le long du fleuve, vers l'intérieur; le caractère complet de la fortification dissuade les Romains de prendre la ville d'assault, les incitant à piller les campagnes qui dépendent de la ville de Nocera, évidemment plus importante que Pompéi. De l'extrait de Livius nous apprenons en outre que les campagnes environnantes sont fréquentées par les Samnites qui se consacrent aux activités agricoles: les fruits de leur travail constituent le butin dérobé par

Satyre et nymphe, de Pompéi, Maison du Faune. Naples, Musée Archéologique National

les Romains et par leurs alliés maritimes. Avec l'exploitation agricole des environs de Pompéi, le tracé urbain des voies de communication avec les campagnes prend obligatoirement une importance croissante. C'est pour cela que le nouveau schéma urbain conserve ces axes tout en s'organisant avec une régularité propre aux aménagements codifiés, mettant pour ainsi dire entre parenthèses l'organisation non orthogonale du quadrant sud-ouest (*Altstadt*). L'importance des voies de communication terrestres est ultérieurement soulignée par les découvertes relatives aux zones de sépulture, aménagées entre le IV et le III siècles av. J.-C., dans les zones immédiatement à l'extérieur de la Porte de Stabies vers le sud, et de la Porte d'Herculanum vers le nord-ouest. De telles sépultures correspondent à celles qui nous sont connues dans les habitats samnites contemporains conservés. Les défunts sont inhumés en fosse ou dans des caisses constituées de plaques de pierre. Le mobilier funéraire comprend des récipients en céramique à laque noire et à figures rouges de fabrication locale; des objets en bronze sont présents dans certains cas.
On en déduit que la circulation le long de tels axes était plus fréquente et suffisante pour justifier l'aménagement et le fonctionnement des nécropoles. Il est encore plus important de constater que les implantations agricoles au nord de Pompéi observent un alignement constant, probablement en rapport avec l'axe de circulation au moins jusqu'à la hauteur de l'actuel Boscoreale.
Pour en revenir aux nécropoles suburbaines, il faut observer qu'à l'extérieur de la Porte du Vésuve, qui constitue le débouché nord symétrique à celui de la Porte de Stabies au

Thésée libérateur, de Pompéi, Maison de Gavius Rufus

Sacrifice d'Iphigénie, détail. De Pompéi, Maison du Poète Tragique.

Naples, Musée Archéologique National

sud de la même voie de communication, les recherches ont été menées jusqu'ici dans le but de dégager la nécropole romaine. En l'absence de découvertes se référant à des sépultures samnites, il manque ainsi la preuve archéologique complète de l'hypothèse d'organisation du réseau des voies urbaines proposée ci-dessus.
Nous trouvons dans le récit de Livius une autre information. Pompéi est évoquée presque comme une indication géographique: il est vrai que l'objectif du débarquement est Nocera, au moins pour la raison politique de punir un allié qui s'était à peine dégagé de la domination romaine pour retourner parmi les Samnites. Même si elles pénètrent imprudemment dans l'intérieur des terres, les armées débarquées n'attaquent néanmoins pas l'alliée infidèle: comme Pompéi, Nocera était en effet entourée d'une muraille défensive, ainsi que nous l'apprennent l'archéologie et Livius. Il ne s'agissait plus dans ces années de la muraille en parallélépipèdes de calcaire du Sarno qui entourait la hauteur, mais d'une nouvelle fortification militaire, peut-être tout juste achevée: les Romains évitèrent donc les places fortes et pillèrent les fermes non fortifiées: et on ne peut pas exclure qu'au moment du débarquement les paysans aient trouvé refuge dans la ville de Pompéi d'où il effectuèrent ensuite leur sortie victorieuse aux dépend de l'ennemi rendu imprudent par le succès et allourdi par son butin.
Les «nouveaux» murs sont eux aussi réalisés en blocs parallélépipédiques de calcaire du Sarno qui emprisonnent les restes des précédents dans une enveloppe composée d'une épaisse couche de terre rapportée. Renforcés ensuite par des tours à plan carré,

ces murs subirent d'ultérieures consolidations au cours du III siècle, peut-être en rapport avec la permanence en Campanie de l'armée d'Hannibal. Les marques de carrières, constituées de lettres de l'alphabet osque gravées sur les blocs utilisés pour la construction, sont très nombreuses et indiquent les carrières de provenance ou, selon les zones, les équipes de maçons participant à la réalisation de l'enceinte.
La liaison entre la ville, désormais structurée, et le reste du territoire environnant est soulignée par l'orientation de la rue de Nola et de celle de l'Abondance. Celles-ci visent vers l'est sur le sommet du Mont Torrenone, source du fleuve Sarno et siège d'un sanctuaire fédéral samnite. Le manque de nombreuses données archéologiques précises nécessaires pour définir la diachronie de l'habitat urbain nous contraint à considérer qu'il a été établi au IV siècle et s'est progressivement développé jusqu'au II siècle ap. J.-C. A cause de ces limites chronologiques si vastes et imprécises il semble très risqué de tenter des comparaisons entre le schéma urbain de Pompéi et celui de la colonie latine de Paestum (273 av. J.-C.), malgré les parallélismes suggestifs concernant la division analogue en trois parties de l'axe principal Nord-Sud. Plutôt que d'y voir une influence réciproque dont le sens divise les différents archéologues qui ont étudié les deux villes, il semble plus justifié de suspendre notre jugement à ce propos, et d'évoquer le fond de connaissances urbaines communes existant entre Romains et Samnites, d'autant plus que l'habitat de la colonie de Paestum a été partiellement conditionné par les nombreuses présences qui s'y sont précédemment succédées au cours de

Mosaïque d'Alexandre, détail des visages d'Alexandre et de Darius. De Pompéi, Maison du Faune. Naples, Musée Archéologique National

plus d'un siècle depuis la domination samnite sur l'ancienne colonie grecque.
A Pompéi, cet axe correspond en outre à un tracé précédent dont la division en trois parties concerne exclusivement les deux quadrants orientaux. Leur urbanisation résulte de dynamiques internes à la société samnite de la région, quoique conditionnées par les interférences politiques générales avec la République Romaine. Reste le fait que la culture documentée à Pompéi jusqu'à la Guerre Sociale de 89 av. J.-C. est pleinement samnite, de la langue aux institutions, avec une présence bien définie d'individus ou de groupes qui parlaient encore la langue étrusque, comme on le déduit des graffiti connus. Le champ qui reste à explorer est donc celui du milieu culturel dans lequel s'est élaborée, ou seulement appliquée, une division de l'espace qui a été employée dans le secteur oriental de Pompéi, comme cela nous apparaît aujourd'hui.
Étrusques et Romains sont universellement connus pour leurs principes urbains respectifs. Les Samnites sont moins connus dans ce domaine: mais la réglementation agricole déjà évoquée entre Pompéi et Boscoreale semble un élément suffisant pour espérer une recherche supplémentaire dans le domaine. En particulier pour les sociétés italiques du versant thyrrénien parmi lesquelles s'insère celle de Pompéi. Celles-ci prirent en effet possession d'organismes urbains réglementés, de Cumes à Neapolis et à Poseidonia, depuis la fin du V siècle av. J.-C. Et à Laos (actuelle Marcellina dans la province de Cosenza), on établit avant la fin du IV siècle av. J.-C. un plan urbain orthogonal pour structurer un habitat lucain fortifié, qui représente peut-être le cas le plus ancien d'un

Maison des Vettii, détail du décor peint du triclinium

habitat italique véritablement urbanisé qui ne s'est pas construit, comme ceux évoqués précédemment, dans une cité grecque déjà organisée.
Des argumentations comme celles qui précèdent ne peuvent toutefois pas faire avancer les recherches. Nous avons déjà dit qu'à Pompéi les découvertes archéologiques abondantes et stratigraphiquement certaines manquent pour la période samnite correspondant à la phase documentée par les nécropoles. Le reste le plus sûr a été découvert sous une maison, bâtie au II siècle av. J.-C. dans la Région VII. Au cours de ces fouilles on a découvert une partie d'un édifice que l'on a interprété de manière convaincante comme un lieu de banquets publics dans la mesure où les pièces retrouvées conservent les surélévations nécessaires pour y installer des lits conviviaux. Des constructions du genre ayant une telle fonction sont connues dans au moins deux autres sites italiques: dans celui de Buccino (Salerno) en Lucanie et dans la principale ville samnite de la Campanie, Capoue. Dans des édifices aménagés ainsi se déroulaient les repas communautaires d'associations basées généralement sur les classes d'âge, qui constituaient l'ossature des organisations sociales italiques et dont on connaît le nom en osque (Vereiia).
Cette découverte prouve l'appartenance ethnique et la culture de Pompéi et se rattache à une nombreuse série de graffiti et d'inscriptions, également monumentales, rédigées en langue osque. Le contenu des textes est varié: privé et public, ceux-ci contribuent, avec l'usage de l'unité de mesure linéaire du pied osque égal à 28,5 cm, à enrichir d'éléments plus concrets un schéma historique général.

L'issue favorable à Rome de la seconde guerre punique qui s'achève à Zama en 202 av. J.-C. étend l'influence de la République sur toute l'Italie méridionale.
De Buxentum à Siponto, des colonies s'établissent le long des côtes et enserrent les positions, centrées sur Venosa et Paestum, que les Romains s'étaient déjà assurées précédemment.
L'extension vers l'Orient ouvre au commerce romain et italique de nouveaux et riches marchés autour du port franc fondé sur l'île de Délos, qui est située au centre de la Mer Égée et donc stratégique pour l'aide aux navigateurs en route vers les riches marchés de l'Asie mineure.
La multiplication de telles opportunités donna vraisemblablement aux Pompéiens l'occasion d'exploiter les potentialités des produits locaux comme de la demande: d'autant plus que la liaison avec le port de Pouzzoles, terme du trafic maritime à travers la Méditerranée, se faisait aisément.
L'ornement des maisons était constitué d'objets de production orientale; les religions orientales, comme celle d'Isis, se diffusaient; le blé se vendait dans des mesures écrites en grec, de provenance probablement alexandrine.
La vitalité des échanges était néanmoins soumise au loyalisme à l'égard de la République dominante. C'est ainsi que le propriétaire de la Maison du Faune inscrit en latin le *Have* de bon augure sur le seuil de l'entrée. Et pourtant dans cette fastueuse demeure aux dimensions gigantesques, le goût et l'iconographie hellénistiques et égyptisantes imprègnent les éléments décoratifs et connaissent leur manifestation la plus éclatante dans le pavement en mosaïque du second tablinum.
Ce dernier est une réplique réalisée avec une maîtrise parfaitement contrôlée du célèbre tableau peint par Philoxenos d'Érétrie représentant Alexandre le Grand au coeur de la bataille d'Isso qui talonne le roi de Perse Darius, désormais prêt à fuir.
Avec ses restes de décoration à fresque du I style, sa façade en gros blocs de calcaire, la disposition symétrique des pièces autour de l'atrium, la Maison du Faune constitue un excellent exemple du type d'édifice privé dont l'usage apparu aux III-II siècles av. J.-C. se prolongera pendant les siècles suivants.
Elle documente en outre la modification au cours du temps, selon les revers de fortune des familles, de la subdivision originelle des parcelles cadastrales. Telle qu'elle se présente aujourd'hui, la Maison du Faune résulte de l'agrandissement d'une maison qui en a absorbé d'autres, de dimensions inférieures. Les édifices en usage en 79 ap. J.-C. dans les secteurs centraux de Pompéi dérivent de structures qui remontent en moyenne aux III-II siècles av. J.-C. On constate donc que pendant cette période on a commencé à

Le «Vase bleu», petite amphore en verre-camée avec amours vendangeant. De Pompéi, rue des Sépulcres. Naples, Musée Archéologique National

construire avec des techniques de construction plus solides, de telle sorte qu'elles ont survécu à la succession des réfections continuelles et fournissent aux archéologues modernes d'importants documents matériels. Comme nous l'avons déjà évoqué, les édifices privés étaient précédemment construits avec des matériaux et des techniques moins résistantes, qui n'ont pas toujours survécu au fil des siècles. Les édifices religieux constituent une exception: à l'un d'entre eux appartient probablement une colonne d'ordre toscan d'époque arcaïque, érigée avec une intention votive et ensuite englobée dans un mur d'époque hellénistique. La construction de ce mur indique clairement que l'on avait complètement oublié la signification pour laquelle la colonne avait été dressée plusieurs générations auparavant.
La destruction des réalisations les plus anciennes pour laisser place aux plus récentes vaut également pour les décorations à fresque: la majeure partie de celles qui nous restent se réfère au plus récent des quatre «styles» qui ont été identifiés. Du second et du troisième styles les restes ne sont pas nombreux, puisqu'ils ont été détruits ou recouverts par les continuelles réfections et modernisations nécessitées par le temps qui passe.
Et ainsi, globalement, chaque édifice de Pompéi présente une texture continue faite de réfections et d'adaptations qui ont pu être effectuées sur une durée de trois siècles avant l'an 79 ap. J.-C. Aux modifications correspondant aux exigences des habitants, s'ajoutent les restaurations de la structure, nécessitées par les fréquents tremblements de terre qui se sont succédés.
A travers les sources littéraires, on a reconstruit le souvenir de celui qui eut lieu en 62 ap. J.-C.: et on a essayé d'en identifier les traces dans les nombreuses déformations qui marquent les architectures privées et publiques les plus récentes de Pompéi.
Le bas-relief qui rappelle, à travers la représentation d'édifices s'écroulant, les destructions provoquées par un tremblement de terre semble faire référence à un tremblement de terre précédent. C'est un événement analogue qui justifia la mugnificence de Numerius Popidius Celsinus lorsque celui-ci mit à disposition son propre capital pour la restauration du temple d'Isis.

Solide allié de la République, le Pompéi samnite, lui demeura fidèle durant la guerre sociale; mais peu après, s'opposa à Sylla qui l'assiégea et le conquit. En 80 av. J.-C., le Dictateur chargea son neveu Publius d'en déduire la colonie Cornelia Veneria Pompeianorum, qu'il célébra avec la construction théâtrale du Temple de Vénus. Le temple se dresse sur l'éperon sud-est de la colline et, par la pureté de ses marbres blancs, indiquait la ville pour qui arrivait par la traditionnelle rue de l'embouchure du Sarno. Cette entrée théâtrale modifiait radicalement l'image de la ville: non plus liée à la campagne mais ouverte sur la mer.
On peut dire que le complexe sacré, probablement voulu par Sylla lui-même qui vénérait fidèlement la déesse, représente la plus ancienne ouverture de Pompéi aux modes architecturaux méditerranéens. On l'observe dans l'usage des chapiteaux d'ordre corinthien selon la variante «normale» et non pas «italico-corinthienne» utilisée jusqu'alors. Se référant aux mises en scène architecturales hellénistiques, l'aménagement général manifeste non seulement un goût nouveau mais surtout l'insertion de la ville dans un plus ample contexte de relations que celui qu'elle avait connu jusqu'alors.
La base économique de Pompéi reste néanmoins liée à l'exploitation agricole: les domaines plus proches de la ville sont confiées aux légionnaires de Sylla, environ 2000, qui étaient chargés de constituer la colonie. C'est ainsi que, de manière convaincante, on a expliqué les modifications radicales du noyau originel de la Villa des Mystères, de celles de Cicéron et de Diomède. Les fresques correspondantes du II style sont datables d'une période immédiatement postérieure à 80 ap. J.-C.
Les nombreuses demeures urbaines qui conservent leur décoration du I style (et, dans la majeure partie des cas, elles la conservèrent jusqu'au tremblement de terre de 62 ap. J.-C.) peuvent en revanche être attribuées aux familles samnites qui, une fois passé le moment difficile de l'établissement de la colonie, continuèrent à vivre dans la ville et se latinisèrent progressivement. L'exemple majeur est celui de la Maison du Faune.
Le tissu urbain se modifie radicalement dans la première phase de la colonie: avant tout pour permettre aux nouveaux habitants

Mosaïque avec Dionysos enfant qui chevauche un tigre. De Pompéi, Maison du Faune. Napoli, Musée Archéologique National

d'avoir leurs propres édifices publics. La construction de l'*odeion* ou théâtre couvert est symptômatique: on y donnait des pièces en latin, tandis que dans le grand théâtre, découvert, les pièces étaient probablement en langue osque. Une génération plus tard, Cicéron atteste qu'à Pompéi on donnait encore des spectacles dans cette langue.
Parallèlement, la construction ex novo des Thermes du Forum indique que l'établissement se présentait comme un complément, destiné aux colons, des précédents Thermes de Stabies utilisés par les habitants samnites, restaurés eux aussi pendant la même période.
En ce qui concerne les constructions religieuses, on attribue à la première génération de la colonie le Temple de Jupiter Meilichios (dédié en réalité à Esculape) et la phase la plus récente de l'autel du Temple d'Apollon. Mais la construction principale consiste dans la restructuration du Temple de Jupiter, situé sur le petit côté nord du Forum, en un modèle type de *Capitolium*, ce qui indique la forte présence romaine.
Plus généralement, la désagrégation généralisée des murs d'enceinte conduit à l'édification progressive du pomerius jouissant d'un vaste panorama au bénéfice des riches villas qui s'y construisent. Et une telle urbanisation progressera ultérieurement vers l'ouest avec l'établissement, avant le milieu du I siècle ap. J.-C., hors de la Porte Marine, des Thermes Suburbains dotés d'un système de chauffage sophistiqué dans la piscine couverte.
Le principal témoin de cette phase est probablement l'amphithéâtre, construit à leurs propres frais par deux lieutenants de Sylla, Gaius Quintius Valgus et Marcus

Maison des Vettii, tableau avec le mythe d'Ixion

Portius, au cours des cinq années de leur magistrature. Cet édifice confirme le traditionnel amour des Samnites pour les combats de gladiateurs, mais au service d'une ville désormais pacifiée: fréquentée par les descendants des vieilles familles et par les nouveaux venus, qui peuvent désormais utiliser la muraille d'enceinte comme mur de soutien pour les édifices et non plus comme infrastructure militaire.
Les nombreuses inscriptions en langue latine qui conservent le souvenir des constructions publiques réalisées en permettent l'identification mais n'en transmettent que rarement la succession chronologique. Ces inscriptions sont à évoquer en tant que témoignage matériel du changement de régime politique résultant de l'institution de la colonie, et comme témoin ultérieur de la diffusion de la langue latine.

Ces deux éléments furent si forts qu'ils générèrent des difficultés, nous dirions «d'ordre public», à l'intérieur de la ville entre les descendants des habitants d'origine et les nouveaux venus: minoritaires mais plus forts politiquement et militairement.
On peut supposer que la réorganisation entre ces deux «genres de citoyens pompéiens», tels que les définit Cicéron, se soit concrétisée une dizaine d'années après la déduction formelle de la colonie, en 70 av. J.-C., lorsque fut effectué le recensement qui définit le statut des citoyens, leur cens respectif et leurs propriétés relatives. On commença à la même époque la construction de l'amphithéâtre dont l'interprétation a été précédemment évoquée. Ses dimensions lui confèrent une capacité d'accueil de 20 000 spectateurs: il faut penser que les magistrats Valgus et Portius le concevaient comme un édifice de

Villa des Mystères, détails de la mégalographie (fresque avec figures presque à grandeur nature) avec rite d'initiation

rassemblement pour tous les colons qui vivaient dans les campagnes et dans les petites villes des environs. Cette fonction perdura pendant la période suivante, puisqu'en 59 ap. J.-C., dans l'amphithéâtre justement, eut lieu la terrible bagarre entre Pompéiens et habitants de Nocera.
Tacite l'évoque en ces termes (*Annales* 14, 17): «Un banal accident survenu à l'occasion d'un spectacle de gladiateurs, organisé par Livinius Regolus, déchaîna un massacre entre les colons de Nocera et ceux de Pompéi. Ils commencèrent par des échanges d'insultes vulgaires, se jetèrent des pierres puis échangèrent des coups de poing: les Pompéiens, chez qui avait lieu le spectacle, étaient les plus forts. De nombreux habitants de Nocera arrivèrent à Rome blessés ou mutilés, et beaucoup d'autres pleurèrent la perte d'un fils ou d'un père. De ce fait, l'empereur délégua le jugement au Sénat et celui-ci aux Consuls. Quand on en référa aux Sénateurs, les Pompéiens furent condamnés, en groupe, à l'interdiction d'organiser des manifestations de ce genre pendant dix ans et à dissoudre les associations qu'ils avaient illégalement constituées; Livinius et les autres, qui avaient fomenté les désordres, furent punis par l'exil».
Le siècle et demi environ qui s'écoula jusqu'à l'éruption de 79 ap. J.-C. conduit à une assimilation progressive à Pompéi de la culture romaine dominante. Les tremblements de terre et les principaux événements politiques ont laissé leurs traces: dans les continuelles réfections et la succession des «styles» décoratifs, comme dans l'adaptation du Forum, dans la construction sous Auguste du Temple de la *Fortuna Redux*, dans l'installation de l'aqueduc. L'évolution sociale et économique comporte la construction de nouveaux modèles d'habitations, dans lesquels le faste des pièces relatif aux dimensions et à l'organisation planimétrique s'atténue. Les possibilités financières et spaciales étaient maintenant restreintes et consacrées à la consolidation de la tranquilité politique.
Le Forum peut être considéré comme le projet et le symbole de la phase impériale de Pompéi. L'ancienne place du marché de la ville samnite se structure sur l'exemple culturel dominant: le Temple d'Apollon, dieu cher à Auguste, et celui de Jupiter, propre à la ville de Rome, l'encadrent sur ses côtés ouest et nord. Le Temple de Jupiter est enrichi de statues équestres et d'arcs de triomphe destinés à honorer les empereurs.
Le côté oriental du Forum présente les mêmes exemples de loyalisme: le temple «de Vespasien», celui des Lares publics et «l'édifice de Eumachia», dont la destination est incertaine mais l'adhésion aux valeurs de la famille impériale évidente. Non seulement par la présence d'une statue de la déesse Concorde représentée avec le visage de Livie, la femme d'Auguste et la mère de Tibère, mais aussi par la présence d'inscriptions élogieuses à l'égard de Romulus et d'Énée, fondateurs respectifs de Rome et de la dynastie Julienne à laquelle appartenait Auguste.
Englobant le carrefour entre la rue de la Fortune et la rue de Mercure, l'espace public et représentatif du Forum s'étend vers le nord,

Maison des Vettii, détail du décor peint de l'atrium

avec la construction d'un arc de triomphe peut-être dédié à Caligula, et celle du Temple de la *Fortuna Redux*, engagée par Marcus Tullius à ses propres frais et sur un terrain lui appartenant. Ce Tullius appartenait à une branche collatérale de la famille Tullia qui était celle du grand Cicéron, tué pendant le second triumvirat sans qu'Ottaviano, le futur Auguste, ne s'y soit opposé. Le Temple de la Fortune situé en périphérie est un exemple ultérieur des oppositions qui divisaient une même famille et étaient apaisées par le gouvernement sage d'Auguste.
L'aspect public de Pompéi pendant ses deux dernières générations doit beaucoup à l'installation de l'aqueduc qui dérive de celui alimenté par le Serino (Avellino) construit pour servir la flotte impériale de Misène.
Le réservoir principal est situé près de la Porte du Vésuve dans la zone la plus élevée de la ville: de là partent les canalisations principales qui conduisent aux petits réservoirs, aux fontaines publiques, aux établissements publics et privés. Les thermes bénéficient de cette plus grande quantité d'eau disponible: les Thermes de Stabies et celles du Forum s'embellissent de stucs figurés; on en construit de nouveaux hors de la Porte Marine; entre la rue de Stabies et la rue de Nola, et sur le côté sud. Les édifices privés également se dotent de thermes, parfois ouvertes au public (comme la Villa de Giulia Felix) ou embellissent leurs jardins de fontaines et de ruisseaux (comme la Maison de «Loreio Tiburtino»). Tout fut scellé par l'éruption du Vésuve qui se déroula de l'après-midi du 24 août jusque dans la journée du 26. Les phases de la catastrophe furent enregistrées, quelques années plus tard, par Pline le Jeune, qui avait 17 ans en 79 ap. J.-C. et se trouvait à Misène chez le frère de sa mère, amiral de la flotte impériale et passionné de sciences naturelles. Ce qui se passa pendant ces deux jours, Pline le raconte à l'historien Tacite qui cherchait à rassembler du matériel documentaire pour la rédaction de la seconde partie de ses *Historiae*.
Les derniers jours d'août avaient été marqués par des secousses sismiques, fréquentes en Campanie et ne provoquant donc pas de terreur. Mais au cours de l'après-midi du 24 la mère de Pline attira l'attention de son frère amiral sur un énorme nuage en forme de pin et de couleur changeante. Tandis que l'amiral étudiait le nuage dont l'origine était encore incertaine, Rectina, la femme de Tascius, qui habitait sur les pentes du Vésuve, les appela au secours: exceptée la mer, l'éruption avait barré toute issue pour fuir. L'amiral ordonna alors à toute la flotte de partir et de sauver le plus de personnes possible parmi celles qui habitaient cette portion de la côte.
Durant la traversée, les cendres crachées par le volcan recouvrirent les bateaux, mélangées à la pierre ponce et aux lapilli enflammés, toujours plus chaudes et plus denses à mesure que les bateaux approchaient de la côte. La violence de la masse éruptive empêchait d'accoster: la flotte se dirigea donc plus au sud vers le port de Stabies, distant de Pompéi de quatre lieues. Là, Pomponien, un propriétaire local ami de l'amiral chargeait sur des bateaux ses biens rassemblés en hâte, prêt à se mettre à l'abri sur mer dès que le

vent, qui empêchait le départ mais facilitait l'accostage de la flotte, serait tombé. L'amiral débarqua malgré tout: il dîna chez Pomponien et, la nuit étant désormais tombée, regarda le terrible spectacle. Sur la montagne, des flammes larges et longues jaillissaient de toutes parts, augmentant la terreur de ceux qui s'étaient réfugiés à Stabies. La pluie de cendres ne cessait pas: à tel point que la cour de la maison en fut remplie et contraignit les invités à quitter la salle à manger pour ne pas y rester bloqués. En outre, les secousses sismiques persistaient et le risque d'écroulement des édifices grandissait: il sembla donc à tous préférable de prendre le risque de rester dehors, sous la pluie de cendres et de pierres ponces, dont le choc était amorti par les coussins qu'ils avaient posés sur leurs têtes. Entre temps l'aube du 25 août s'était levée: mais la lumière du soleil ne réussissait pas à percer la brume produite par la cendre continuellement crachée par le volcan. La mer et le vent empêchaient toujours la fuite.

Doryphore, copie romaine de la statue de Polyclète. De Pompéi, Palestre samnite. Napoli, Musée Archéologique National

La chute persistante des cendres mélangées aux dégagements de soufre provoquèrent l'intoxication et la mort de l'amiral.
Comme lui, de nombreux Pompéiens moururent étouffés par les gaz dégagés par le Vésuve: les moulages réalisés sur leurs corps contractés attestent encore de leur atroce mort soudaine.
L'empereur Titus institua une magistrature chargée de faire le nécessaire pour mettre fin à la catastrophe. Grâce à quelques rares inscriptions fragmentaires, datables entre 80 et 82 ap. J.-C., nous en savons un peu plus sur ce qu'il fut possible de faire. On peut déduire, d'observations faites au cours des fouilles modernes, que les survivants tentèrent plusieurs fois, et parfois avec succès, de creuser afin de récupérer quelque chose de ce qu'ils avaient abandonné dans les maisons de Pompéi. Il faut rappeler que le pavement de pierre de la place du Forum et les statues de bronze qui l'ornaient ont disparu. On peut supposer qu'un tel manque soit le résultat de travaux destinés à récupérer les matériaux nécessaires pour les réemployer ailleurs.
Malgré cela, l'oubli total tomba sur la ville ensevelie: on perdit jusqu'au souvenir de son nom. Lors de la construction d'un canal pour dévier les eaux du fleuve Sarno à la fin du XVI siècle, on découvrit deux inscriptions en latin: mais les temps n'étaient pas encore mûrs pour procéder à leur identification. Et même pendant les premières années des fouilles qui avaient débuté en 1748, on ne savait pas si la ville découverte était Stabies ou Pompéi.
Jusqu'à ce que, comme note Winckelmann, l'on ne découvre une inscription qui indiquait clairement le nom de la colonie pompéienne.
Plus de deux siècles se sont écoulés depuis lors: et des millions de visiteurs ont voulu découvrir ce témoignage emblématique de l'histoire antique de l'homme, y puisant des émotions et des réflexions qui peuvent être utiles pour construire le chemin du futur.

Pier Giovanni Guzzo

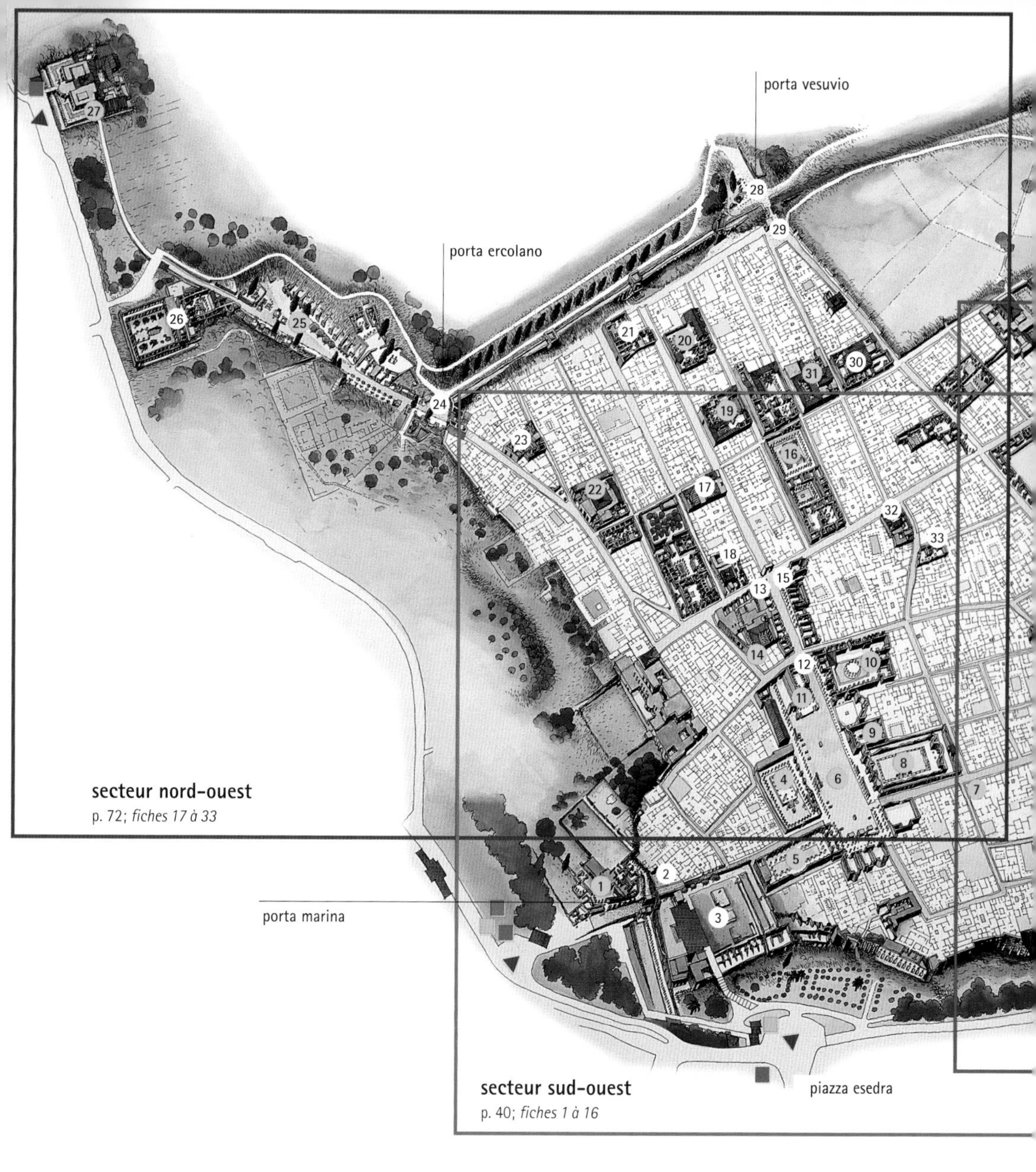

1. thermes suburbains [1]
2. porte marine [2]
3. temple de vénus [3]
4. temple d'apollon [4]
5. basilique [5]
6. forum [6]
7. rue et fontaine de l'abondance [7]
8. édifice de eumachia [8]
9. temple «de vespasien» [9]
10. macellum [11]
11. temple de jupiter [12]
12-13. arcs commémoratifs [69]
14. thermes du forum [15]
15. temple de la *fortuna augusta* [16]
16. maison du faune [17]
17. maison de la petite fontaine [18]
18. maison du poète tragique [22]
19. maison des dioscures [19]
20. maison de méléagre [20]
21. maison d'apollon [21]
22. maison de salluste [25]
23. maison du chirurgien [26]
24. porte d'herculanum [27]
25. nécropoles de la porte d'herculanum [28]
26. villa de diomède [29]
27. villa des mystères [30]
28. nécropole de la porte du vésuve [31]
29. castellum acquae [32]

légende

- ▲ entrée/sortie
- guichet
- librairie
- toilettes
- lieux d'importance majeure
- [ ] numéro de l'audioguide

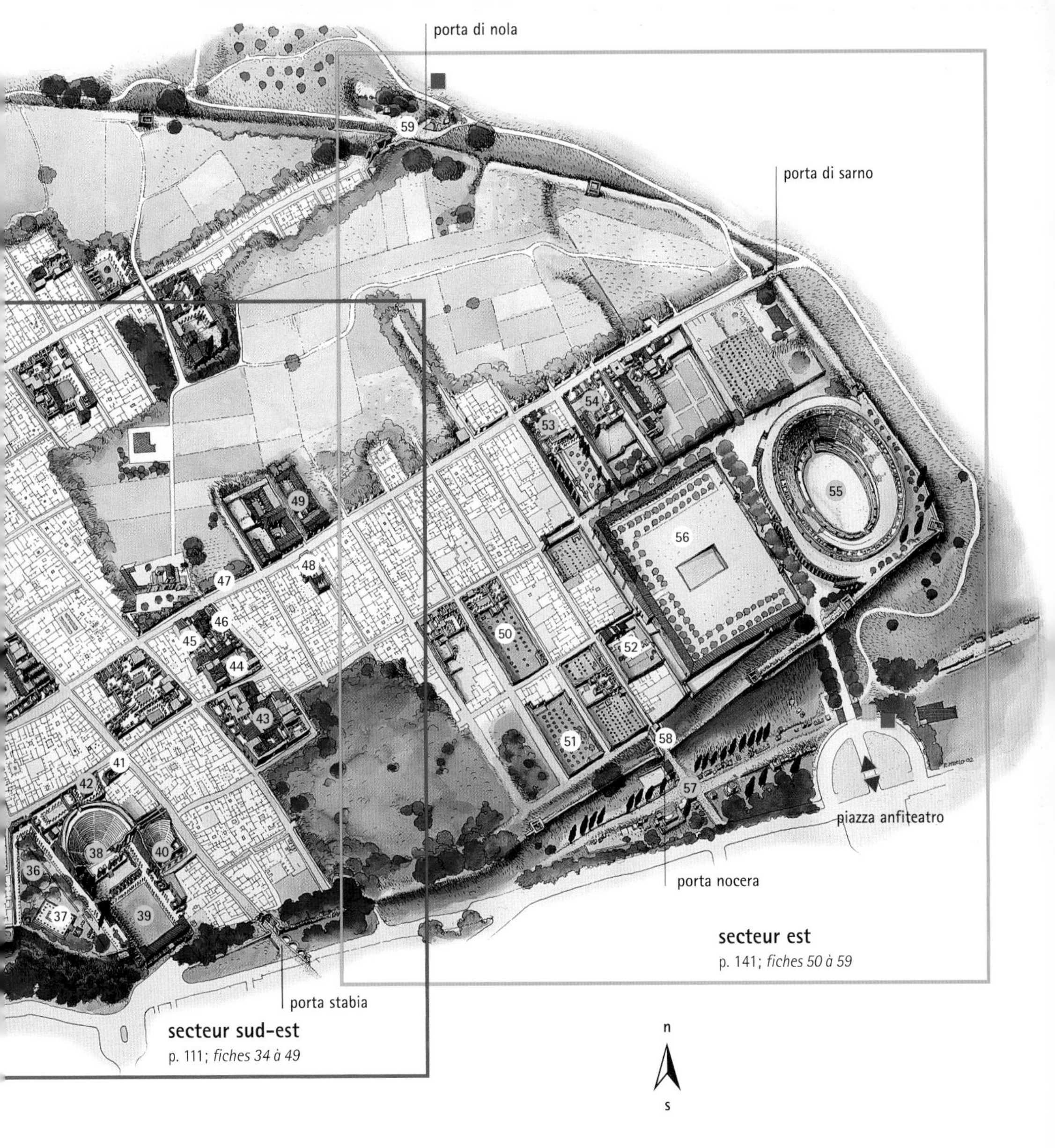

30. maison des amours dorés [33]
31. maison des vettii [36]
32. maison de la chasse antique [37]
33. boulangerie (pistrinum) [38]
34. lupanar [39]
35. thermes de stabie [40]
36. forum triangulaire [41]
37. temple dorique [42]
38. grand théâtre [43]
39. portique des théâtres [44]
40. petit théâtre (odèion) [45]
41. temple d'esculape [46]
42. temple d'isis [47]
43. maison de ménandre [51]
44. maison des ceii [50]
45. fullonica de stephanus [52]
46. maison du laraire d'achille [53]
47. inscriptions électorales
48. thermopolium de vetutius placidus [67]
49. maison de iulius polybius [54]
50. maison du bateau europe [55]
51. jardin des fuyards [56]
52. maison du jardin d'hercule [57]
53. maison de octavius quartio [58]
54. maison de la vénus dans sa coquille [59]
55. amphithéâtre [60]
56. grande palestre [61]
57. nécropole de la porte de nocera [62]
58. porte de nocera et mur d'enceinte [62]
59. nécropole de la porte de nola [65]

1. thermes suburbains [1]
2. porte marine [2]
3. temple de vénus [3]
4. temple d'apollon [4]
5. basilique [5]
6. forum [6]
7. rue et fontaine de l'abondance [7]
8. édifice de eumachia [8]
9. temple «de vespasien» [9]
10. macellum [11]
11. temple de jupiter [12]
12-13. arcs commémoratifs [69]
14. thermes du forum [15]
15. temple de la *fortuna augusta* [16]
16. maison du faune [17]

légende

▲ entrée/sortie
guichet
librairie
toilettes
lieux d'importance majeure
[ ] numéro de l'audioguide

via consolare
via di mercurio
via del vesuvio
via della fortuna
via delle terme
via degli augustali
via dell'abbondanza
piazza esedra
porta marina
1
2
3
4
5
6
7
8
9
10
11
12
13
14
15
16

Thermes suburbains de la Porte Marine, vue d'ensemble de l'apodyterium (vestiaire)

Mosaïque de la fontaine du frigidarium

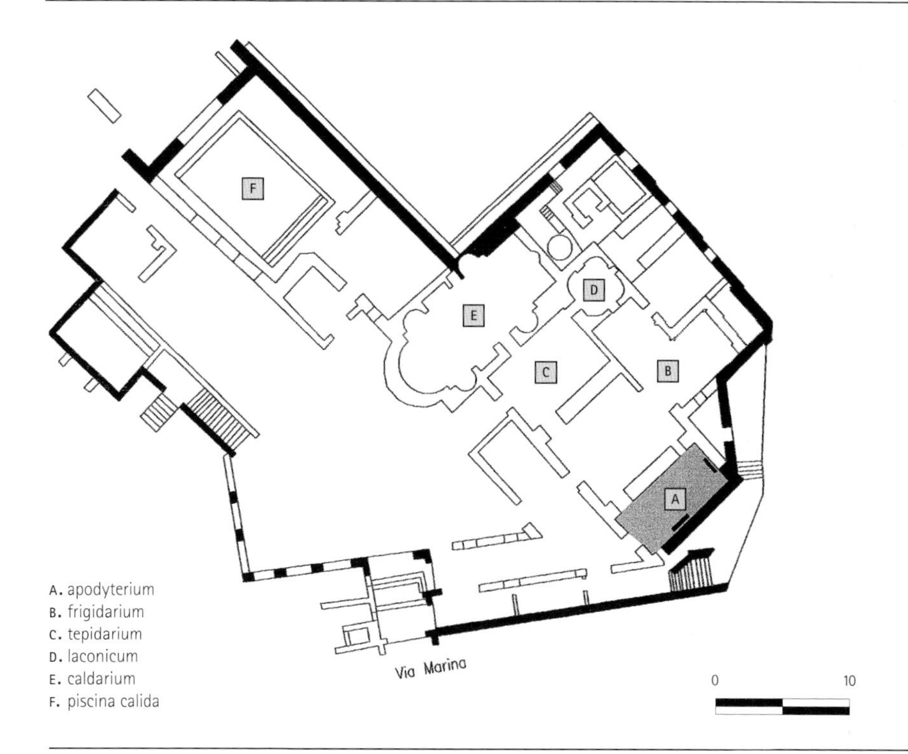

Fouillé à plusieurs reprises entre 1950 et 1988, l'édifice est situé sur une terrasse artificielle immédiatement à l'extérieur des murs de la ville, près de la Porte Marine (voir n° 2).
Propriété d'un entrepreneur privé, les thermes étaient articulés sur deux niveaux accessibles directement de la rue Marine et communiquant entre eux par un escalier interne. Le niveau inférieur constitue la structure d'origine de l'édifice qui remonte à l'époque d'Auguste (fin du I siècle av. J.-C.- début du I siècle ap. J.-C.): il comprend le secteur thermal dans lequel se succèdent, suivant l'ordre canonique (voir n° 35), le vestiaire (*apodyterium*), la salle avec le bassin pour les bains froids (*frigidarium*), la pièce à température modérée (*tepidarium*), une petite pièce pour les bains de vapeur (*laconicum*) et la salle avec le bassin pour les bains chauds (*caldarium*).
A la différence des autres thermes présents à Pompéi, tels que les Thermes du Forum (n° 14) et les Thermes de Stabies (n° 35), mais comme les autres thermes plus récents - les Thermes centraux, en cours de construction en 79 ap. J.-C. - l'édifice ne présente pas de disctinction entre la partie masculine et la partie féminine.
Au cours du I siècle ap. J.-C., on ajouta à ces espaces, aux pièces de service et aux fournaises, trois autres pièces. Comme à Herculanum, on remarque parmi celles-ci la grande piscine chauffée qui constitue une nouveauté dans les édifices thermaux de l'époque.
Au moment de l'éruption les thermes étaient encore en phase de restructuration: parmi les interventions plus importantes il faut rappeler la réalisation des fenêtres (évidemment fermées par des vitres) dans le *caldarium*, habituellement privé d'ouvertures dans les thermes plus anciens.

Les fresques du mur sud de l'apodyterium

Les décorations
Outre ses innovations architecturales et technologiques, l'édifice est connu surtout pour sa décoration: la mosaïque polychrome représentant Mars accompagné d'amours qui orne la niche avec fontaine du *frigidarium*, les stucs en relief de la pièce qui la précède et, pas des moindres, les petits tableaux érotiques du vestiaire. Chacun de ceux-ci (ils étaient seize à l'origine, mais aujourd'hui huit seulement sont visibles) présente une scène érotique et, en-dessous, une cassette de bois numérotée qui rappelle celle dans laquelle on déposait les vêtements. Une hypothèse récente propose d'interpréter ces tableaux non selon leur fonction décorative mais comme une sorte d'évocation des prestations que les esclaves gardant les habits des clients pouvaient fournir à l'étage supérieur de l'édifice.

Le nom moderne est dû au fait que de cette porte partait la voie conduisant vers la mer. Elle comporte deux arcades (dont l'une est réservée aux piétons) successivement réunies en une unique grande voûte en berceau en *opera cementizia* (conglomérat de mortier et de pierres).
Quand Pompéi devint une colonie romaine, en 80 av. J.-C. (voir p. 23), les murailles d'enceinte perdirent leur fonction défensive et furent peu à peu surmontées et interrompues, en certains endroits par des édifices privés. Ainsi, dans cette partie, de riches demeures et un édifice thermal (à gauche à l'entrée de la porte) se superposèrent aux murailles, disposés en terrasses, en position panoramique vers la mer, qui était alors beaucoup plus proche de la ville qu'aujourd'hui.

2. porte marine

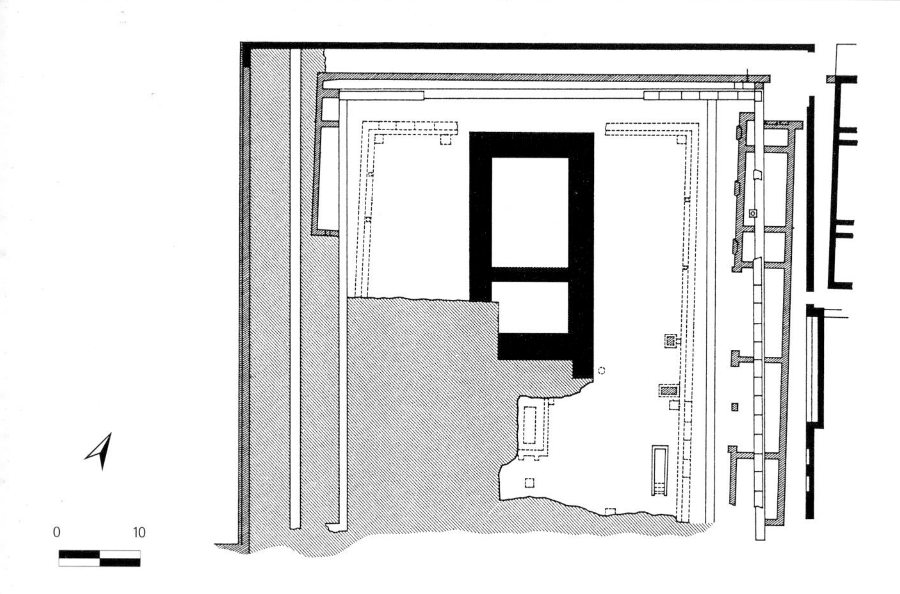

Situé sur un terrassement entre la Porte Marine et la Basilique, le Temple de Vénus fut construit sur les ramifications occidentales de la colline de Pompéi, vers la mer et le fleuve Sarno, au lendemain de la déduction de la colonie de Sylla en 80 av. J.-C. (voir introduction). Le culte de la Vénus Physique, préexistant à la conquête de la ville par les Romains fut assimilé à celui de la Vénus Protectrice de Lucius Cornelius Sylla, au sein du programme architectural «de régime» élaboré par les nouveaux venus.
Orienté dans le sens nord-sud, le temple se dresse sur un podium de tuf entouré de portiques sur les côtés est, nord et ouest, à l'intérieur d'une enceinte en *opus reticulatum*, datable de la dernière phase de Pompéi. Le noyau intérieur du temple, en *opera cementizia* (voir n° 2) revêtue de grands blocs taillés (*opus quadratum*), est conservé sur une hauteur de cinq rangées. L'édifice semble avoir englobé un temple plus ancien dont on a, lors de sa découverte, identifié des restes du podium et du pavement: la réfection qui comporta l'agrandissement et la construction d'une nouvelle cella pour l'édicule du culte, remonterait à la période postérieure au tremblement de terre de 62 ap. J.-C.
Il reste peu de chose du décor en marbre de l'édifice, qui en faisait un des monuments les plus élégants de la ville, et des portiques, qui furent dépouillés après l'éruption de 79 ap. J.-C. Il reste des fragments de la décoration architecturale en marbre d'époque julio-claudienne appartenant au temple antérieur à 62 ap. J.-C.; exceptés les restes en tuf du podium, il ne reste aucune trace du premier temple de l'époque de Sylla.

3. temple de vénus

L'édifice, dont il ne reste de la première phase que quelques fragments de décoration architecturale datables de 575-550 av. J.-C., était à l'origine le principal lieu de culte de la ville. Il prit son aspect actuel au cours du II siècle av. J.-C., en concomitance avec le grand renouvellement monumental de Pompéi (voir introduction). On construisit alors le portique en tuf à double ordre de colonnes et le temple, dans lequel des éléments grecs (colonnade entourant la *cella*) se mêlent aux éléments italiques (haut podium avec escalier d'accès seulement sur le devant). Sur les côtés, près du portique, se trouvent les statues en bronze d'Apollon et de Diane, représentés en archers (les originaux sont au Musée Archéologique de Naples).
La colonne avec l'horloge solaire fut ajoutée à l'époque d'Auguste.

4. temple d'apollon

L'édifice, le plus antique de ce type qui nous soit parvenu, fut construit pendant la seconde moitié du II siècle avant J.-C., dans le cadre du programme de monumentalisation de la ville. Destiné à l'administration de la justice et aux tractations économiques, il s'articule en trois nefs qui étaient couvertes par un toit à double pente, reposant sur les grandes colonnes centrales et sur les demi-colonnes dans la partie supérieure des parois latérales.
Au fond, le *tribunal* où siégeaient les magistrats était accessible seulement par des escaliers en bois. Il conserve des restes de l'enduit de revêtement en «premier style» (voir n° 49).

5. basilique

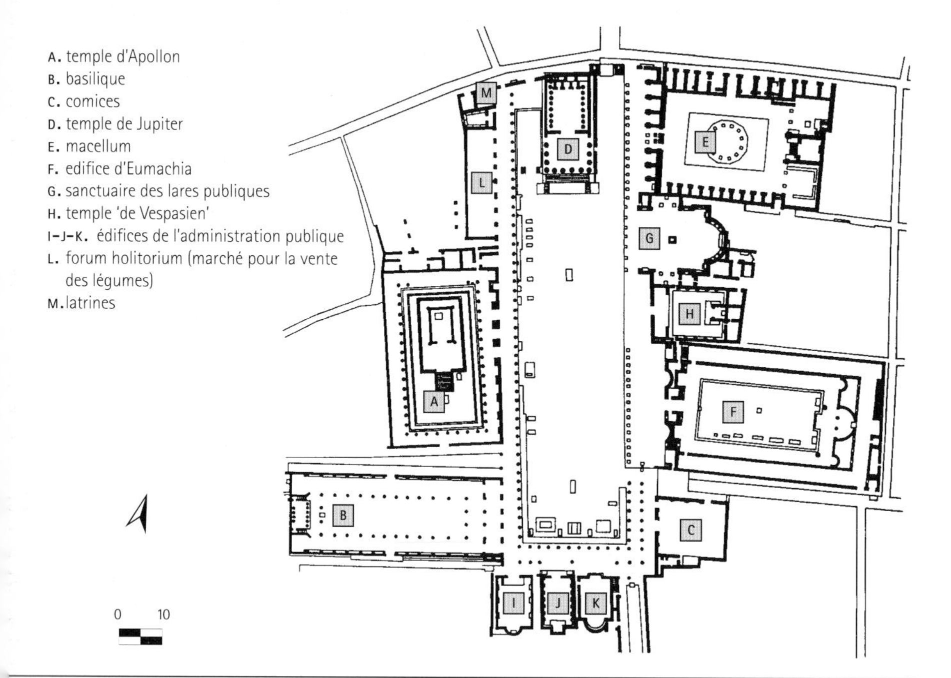

Il est situé au carrefour des deux axes principaux du premier noyau urbain de Pompéi, qui occupait seulement une partie de la zone comprise à l'intérieur des murailles d'enceinte.
Son premier aménagement monumental remonte au II siècle av. J.-C. Avec la construction du portique à double ordre de colonnes en tuf et d'importants édifices (Basilique, Temple de Jupiter, *Macellum*). A l'époque impériale, on ajouta les édifices sur le côté est (auparavant occupé par une série de magasins) et l'on commença le repavage et la construction de la colonnade, cette fois en calcaire blanc.
L'aménagement définitif du Forum, au I siècle ap. J.-C., met en évidence les intentions célébratives de la famille impériale (voir n° 6, 8, 12-13), comme ce fut le cas à la même période dans d'autres villes.
Le Forum constituait la place principale de la ville; la circulation des chars y était interdite. Il était entouré des principaux édifices religieux, politiques et économiques. Les nombreuses bases disposées le long des portiques supportaient les statues des citoyens les plus illustres, tandis que les bases monumentales sur le côté méridionnal, face aux édifices où siégeaient les administrateurs de la ville, supportaient des statues de l'empereur sur son quadrige et de la famille impériale (voir introduction). Un peu plus loin, sur l'axe de la place, on remarque une base destinée à une statue équestre. Au centre du côté ouest, se dresse la tribune pour les orateurs. Les statues qui décoraient la place n'ont pas été retrouvées, de même que presque toutes celles qui ornaient les édifices voisins: elles furent vraisemblablement emportées par les pompéiens eux-mêmes, revenus prendre, après l'éruption, ce qui était récupérable.

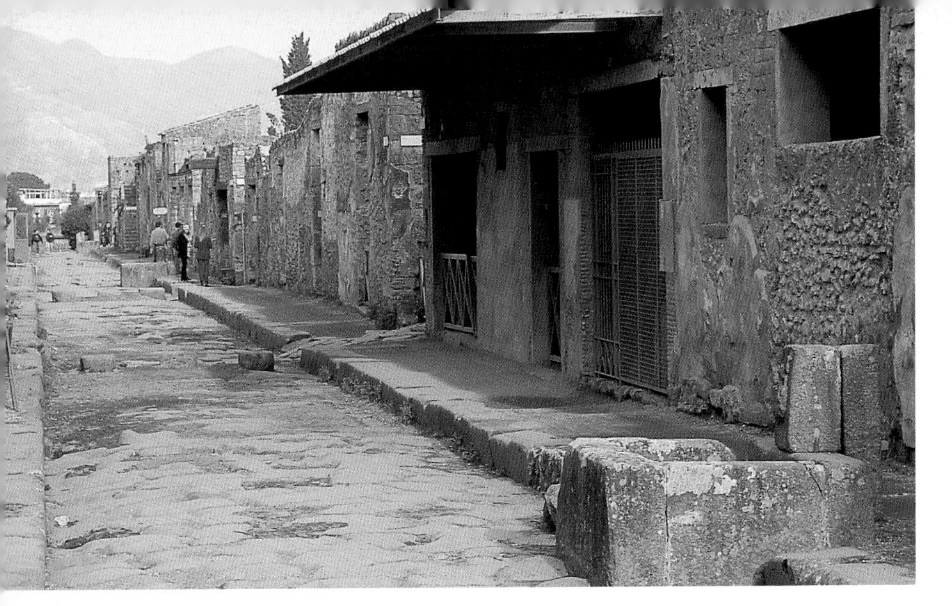

C'est une des nombreuses fontaines publiques (on en connaît 43) construites après la réalisation de l'aqueduc et de l'équipement hydraulique à l'époque d'Auguste (voir n° 29). Généralement placées au carrefour des rues, elles sont réalisées en gros blocs, pour la plupart de pierre de lave. Quelques unes très rares, comme celle-ci, sont en fin calcaire blanc.

La rue «de l'Abondance», interdite à la circulation des chars dans la partie proche du Forum, prend son nom de cette fontaine publique sur laquelle est sculptée en relief la *Concordia Augusta*, caractérisée par la corne d'abondance.

7. rue et fontaine de l'abondance

Statue de Eumachia, de l'édifice de Eumachia. Naples, Musée Archéologique National

Portail
L'édifice fut érigé, à l'époque de Tibère, par la prêtresse Eumachia, patrone des fileurs de laine et des blanchisseurs (les *fullones*: voir n° 45). La façade actuelle en brique, qui était recouverte de plaques de marbre, appartient aux restaurations postérieures au tremblement de terre de 62 ap. J.-C. Précédée d'un large portique avec des bases pour les statues honorifiques, la façade est articulée en niches dans lesquelles se trouvaient les statues de Romulus et d'Enée (une des inscriptions d'éloge y est conservée) et, probablement, de César et d'Auguste: l'ensemble démontre une claire intention célébrative de la part de la dynastie julio-claudienne. Le portail est encadré par un délicat relief en marbre de rinceaux d'acanthe, peuplés d'oiseaux et d'insectes, qui rappelle les modèles de Rome, tels que ceux de *l'Ara Pacis*.

Intérieur
L'intérieur comprend un vaste espace découvert, qui était entouré par un portique de colonnes corinthiennes, lui-même encerclé par un cryptoportique. L'exèdre sur le mur du fond abritait la statue de la *Concordia Augusta*; les niches sur les côtés, celles de personnages de la

8. édifice d'eumachia

Édifice de Eumachia, détail du portail en marbre décoré de rinceaux d'acanthe

famille impériale (peut-être Tibère et Drusus). Dans la niche du cryptoportique, derrière l'exèdre, se trouve la copie de la statue d'Eumachia (l'original est au Musée Archéologique de Naples).
Si l'intention célébrative de l'édifice est claire, ce n'est pas le cas de sa fonction spécifique pour laquelle on a pensé à un marché de la laine ou au siège de la corporation des *fullones*.

Une grande dolie était murée dans l'espace à droite de l'entrée et, en montant par un escalier spécial, on pouvait y uriner. L'urine, dont l'utilisation fut taxée par l'empereur Vespasien, était recueillie par les *fullones* et utilisée dans le lavage des tissus en vertu de ses pouvoirs blanchissants (voir n° 45).

L'édifice fut construit à l'époque d'Auguste ou de Tibère comme un lieu voué au culte de l'empereur. Dans ce cas aussi, la paroi d'entrée, en brique revêtue de plaques de marbre, est le fruit des restaurations postérieures au tremblement de terre de 62 ap. J.-C. L'intérieur était constitué d'un étroit portique qui introduisait dans une cour découverte, avec au centre l'autel pour les sacrifices. A la paroi du fond est adossé le petit temple, qui comportait quatre colonnes sur sa face antérieure et auquel on accédait par de petits escaliers disposés sur les côtés du podium, avec la statue de l'empereur (voir n° 6).

Autel
Le sacrifice d'un taureau, habituel dans le culte de l'empereur, est sculpté sur la face antérieure de l'autel en marbre blanc; sur le fond de la scène, est représenté un petit temple tétrastyle identique à cet édifice: on pourrait penser qu'il s'agit du sacrifice célébré à l'occasion de l'inauguration du temple. Sur les faces latérales et postérieure, sont représentés des objets liés au culte.

Macellum, *l'entrée et une fresque du quatrième style*

Entrée

Le nom est grec et signifie marché. L'édifice actuel est le résultat du remaniement, survenu à l'époque de la dynastie julio-claudienne, et de restaurations postérieures au tremblement de terre de 62 ap. J.-C., du marché qui existait déjà au II siècle av. J.-C.
Dans l'ensemble, il est analogue aux autres *macella* du monde romain.
Comme dans l'édifice d'Eumachia, le portique devant l'entrée est complété par des bases destinés aux statues honorifiques des citoyens illustres.
Les deux beaux chapiteaux des colonnes corinthiennes qui flanquent l'entrée, décorés de chimères, proviennent de la nécropole de la porte d'Herculanum.

Intérieur

L'intérieur est constitué d'une cour entourée d'un portique, avec des files de boutiques sur le côté sud. Les douze bases disposées au centre de la cour servaient d'appui aux piliers en bois qui soutenaient un toit conique: en raison des nombreuses arêtes retrouvées, on a émis l'hypothèse que l'on y vendait le poisson. Une niche au centre du mur du fond accueillait la statue de l'empereur, dont il ne reste que des fragments. On a retrouvé, en revanche, deux statues (aujourd'hui au Musée Archéologique de Naples) représentant peut-être des membres de la famille qui avait contribué à la construction de l'édifice. La pièce à droite devait être destinée à la vente de la viande et du poisson, celle de gauche peut-être aux banquets en l'honneur de l'empereur.

Décoration peinte
Sur la paroi nord, il reste une partie de la décoration à fresque du «quatrième style», le système décoratif en usage à Pompéi, comme ailleurs, à partir du milieu du I siècle ap. J.-C. Comme habituellement dans ce style (voir aussi n° 35), la paroi est articulée en registres superposés, divisés en panneaux, entrecoupés d'architectures fantastiques et dans lesquels sont peintes des figures isolées et des tableaux à sujet mythologique (dans ce cas, Médée qui médite la mort de ses fils, Io et Argus, Ulysse reconnu par Pénélope). En haut, des panneaux de style populaire avec des natures mortes. Le registre supérieur, dans les parois du «quatrième style», est occupé par des architectures fantastiques.

Romaine avec poids en forme de buste de Mercure, de Pompéi. Naples, Musée Archéologique National

Datant du premier aménagement de la place au II siècle av. J.-C., il fut transformé après la déduction de la colonie romaine en 80 av. J.-C., en *Capitolium*, dédié au culte de la *Triade Capitolina* (Jupiter, Junon, Minerve). C'est un temple de type italique, avec la *cella* précédée d'une colonnade, dressée sur un haut podium avec escalier d'accès sur le devant. Dans la *cella*, divisée en trois parties par une colonnade à deux ordres, se trouve une tête colossale de Jupiter, de l'époque de Sylla. Le podium, et les bases pour des statues équestres placées de part et d'autre, fut restructuré à l'époque de Tibère; à la même période on remplaça le grand autel qui est sur la place, en axe avec le temple. Le pavement de la *cella*, comme dans le temple d'Apollon, était composé de losanges de pierre colorée, disposés de manière à imiter des cubes en perspective (*opus scutulatum*).

11. temple de jupiter

La monumentalisation de la place, destinée à la célébration de la famille impériale julio-claudienne, est complétée par les arcs commémoratifs en brique revêtus de marbre. Des deux arcs érigés de part et d'autre du temple de Jupiter s'est conservé seulement celui de gauche. Celui de droite, vraisemblablement dédié à Néron, fut complètement détruit, peut-être, après la *damnatio memoriae* qui toucha cet empereur. L'arc placé à la fin du temple de Jupiter, à l'entrée nord est du forum, avait deux statues (peut-être Néron et Drusus) dans les niches de la face sud et deux vasques de fontaines sur la face nord. Au fond, au début de la rue «de Mercure», se dresse un autre arc, dit de Caligula, qui était surmonté d'une statue équestre.

12.13. arc commémoratif

Thermes du Forum, le tepidarium

VII, 5, 24

Dans les premières années de la colonie romaine, on construisit, aux frais du peuple, cette nouvelle installation thermale, plus petite mais sur le même schéma que les Thermes de Stabies preéxistants (voir n° 35). De part et d'autre des fournaises, s'étendent les deux sections, masculine et féminine. La section masculine, plus grande et mieux articulée, suit la séquence habituelle qui comprend des vestiaires, une salle ronde pour le bain froid, une salle à température moyenne, une salle pour le bain chaud. On pouvait accéder au gymnase entouré d'un portique, à travers le vestiaire de la section masculine ou directement par une entrée sur la rue du Forum, mais pas par la section féminine. Dans le vestiaire, doté de sièges en maçonnerie le long des parois, on ne trouve pas les petites niches pour les vêtements, qui devaient être déposés en revanche sur des étagères de bois dont il reste les trous correspondants dans les parois.

14. thermes du forum

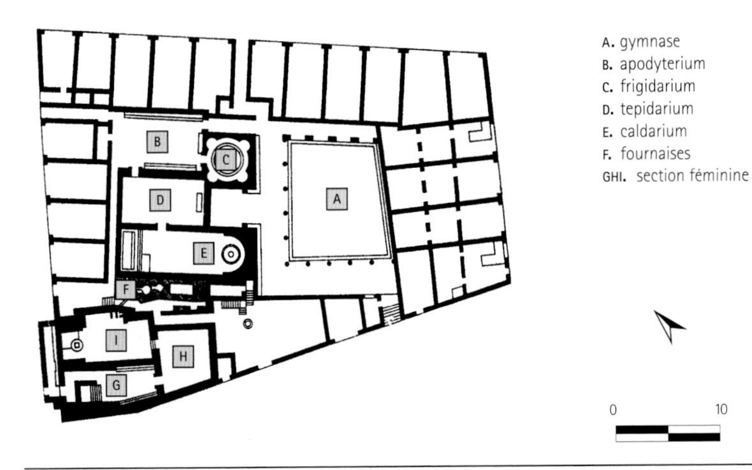

A. gymnase
B. apodyterium
C. frigidarium
D. tepidarium
E. caldarium
F. fournaises
GHI. section féminine

Tepidarium

La salle à température moyenne (*tepidarium*) ne bénéficie pas des techniques modernes de chauffage utilisées dans le *caldarium*; elle était chauffée, au contraire, au moyen d'un grand brasero de bronze, don de l'industriel *M. Nigidius Vaccula*, dont le blason, une vache justement, est visible sur le brasero.
Les *telamoni* placés entre les petites niches destinées peut-être à accueillir les onguents et objets de bain remontent à la première phase de l'édifice. La décoration en stuc à relief de la voûte, avec partition géométrique et figures mythologiques, est en revanche postérieure aux restaurations nécessaires après le tremblement de terre de 62 ap. J.-C.: Eros avec l'arc, Apollon sur un griffon, Ganymède enlevé par l'aigle qui le conduira auprès de Jupiter amoureux sur l'Olympe, où le jeune garçon deviendra l'échançon des dieux.

Calidarium

La salle pour le bain chaud (*caldarium*) comprend, comme d'habitude, d'un côté le bassin, de l'autre une grande fontaine d'où jaillissait de l'eau froide pour le rafraichissement des baigneurs. L'inscription en lettres de bronze sur le bord atteste sa réalisation, aux frais du peuple, par *Gn. Melissaeus Aper* et *M. Staius Rufus*, duovirs (voir n° 47) à l'époque d'Auguste. Selon le système introduit au début du I siècle av. J.-C., le pavement en mosaïque, soutenu par des colonnettes de brique (*suspensurae*), est surélevé par rapport au sol (voir aussi n° 35). L'air chaud provenant des fournaises adjacentes (observez le soupirail près de la vasque) était conduit sous le pavement et, de là, par les tuyaux pratiqués dans les parois, afin que toute la pièce fût enveloppée d'air chaud.

Thermes du Forum, le calidarium

15. temple de la fortuna augusta

Le temple, qui présente sur sa face antérieure des colonnes et des chapiteau corinthiens de marbre blanc, fut construit par le duovir Marcus Tullius, à ses frais et sur un terrain lui appartenant, en l'honneur d'Auguste (voir introduction). A l'intérieur de la pièce, sur le podium au fond se trouvait la statue de la *Fortuna Augusta*; les niches latérales abritaient des statues de la famille impériale et, peut-être, de Marcus Tullius lui-même. Plusieurs temples dédiées à la *Fortuna Redux* d'Auguste furent construits à Rome et dans différentes villes, après le retour de l'empereur d'une de ses expéditions en 19 ou en 13 av. J.-C.

Médaillon en or d'Auguste, de Pompéi. Naples, Musée Archéologique National

Maison du Faune, l'entrée

VI, 12, 2
Dès son premier aménagement (170-180 av. J.-C.), elle occupait l'*insula* entière, constituant avec ses 3.000 mètres carrés, la plus grande des maisons de Pompéi. Elle présentait alors deux atrium, le premier péristyle et un grand *hortus*, qui fut remplacé par un second péristyle vers la fin du II siècle av. J.-C. L'entrée de gauche introduit dans le secteur de représentation, avec la séquence canonique de *fauces, atrium, tablinum* (voir n° 16). Celle de droite mène au secteur privé, avec un des rares atrium soutenus par quatre colonnes (*tetrastyle*), dans lequel furent retrouvés des armoires et des dépôts d'amphores. Le long du couloir qui flanque le premier péristyle, se succèdent une stalle, la latrine, un petit complexe thermal (avec *tepidarium* et *caldarium*) et la cuisine.

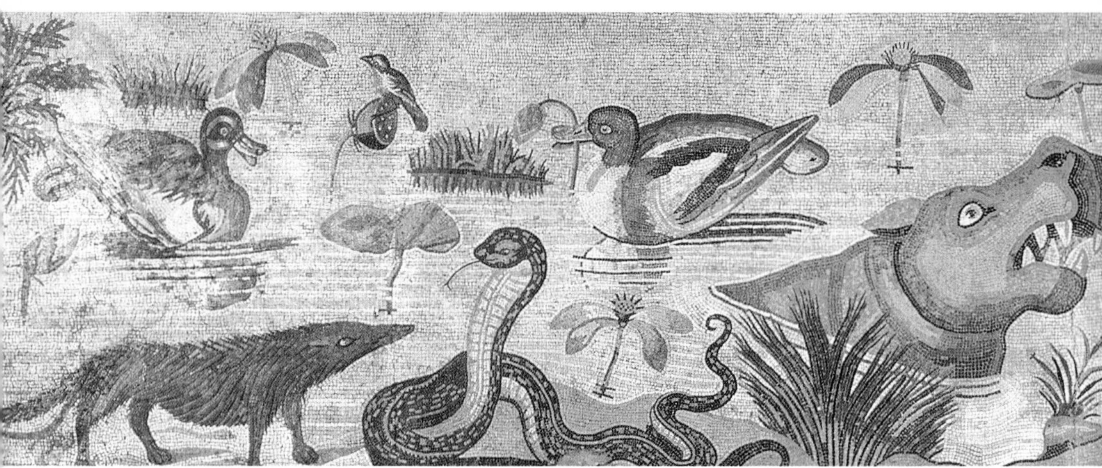

Seuil en mosaïque avec paysage du Nil, de la Maison du Faune. Naples, Musée Archéologique National

Seuil en mosaïque avec masques de théâtre et festons de fleurs et de fruits, de la Maison du Faune. Naples, Musée Archéologique National

Entrée

Par l'inscription en latin HAVE placée devant l'entrée à l'époque de Sylla, le propriétaire voulut peut-être souligner la romanisation récente de la ville. L'entrée est importante pour la décoration des parois en «premier style» polychrome (voir n° 49), surmontée de deux façades de temples avec colonnes sur le devant. Le pavement, à carreaux triangulaires de pierres colorées (*opus sectile*), propre aux édifices publics, se terminait par un seuil en mosaïque (aujourd'hui au Musée de Naples) avec guirlandes et masques tragiques. Depuis l'entrée, donc, apparaît évident le caractère particulier de cet édifice, qui se rapproche plus des modèles des palais helléniques et des habitations de l'aristocratie romaine que des maisons de la haute bourgeoisie locale.

Original en bronze du Faune dansant, de la Maison du Faune. Naples, Musée Archéologique National

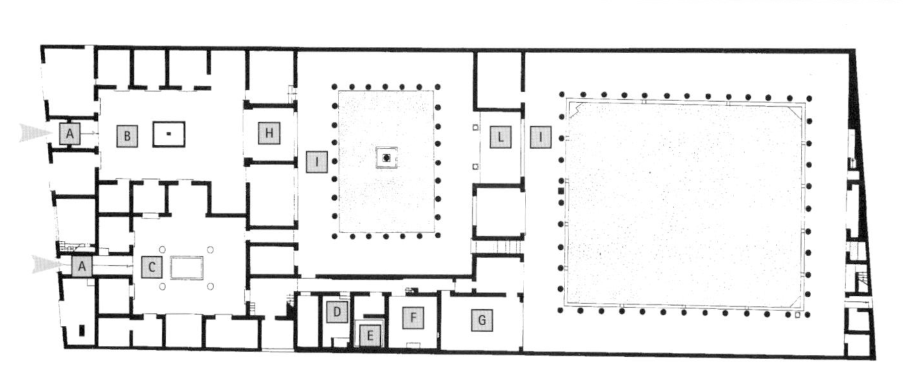

A. entrée
B. atrium tuscanicum
C. atrium tetrastyle
D. écurie
E. latrines
F. thermes
G. cuisine
H. tablinum
I. peristyle
J. exèdre

Maison du Faune, détail du pavement du tablinum

A la page précédente: Maison du Faune, le grand atrium toscan. La statuette du Faune est une copie, l'original est à Naples, Musée Archéologique National

Mosaïque avec chat et canard, de la Maison du Faune. Naples, Musée Archéologique National

Atrium toscan

Le grand atrium reprend le type le plus courant, celui dont le toit n'est pas soutenu par des colonnes (*tuscanicum*). Au centre, comme d'habitude, se trouve *l'impluvium* (voir n° 17, 49) décoré dans un style semblable à celui de l'entrée, avec des plaques romboïdales de pierres colorées. La statue en bronze du «faune» – qui a donné son nom à la maison dont le propriétaire est inconnu – est de production alexandrine de la fin du II siècle av. J.-C. (L'original est au Musée Archéologique de Naples). En revanche, les pièces disposées autour de l'atrium (chambres à coucher, salle a manger, séjour) comportaient, au centre de leurs pavements, des cadres en mosaïque (*emblemata*: voir n° 43), représentant des sujets plus marqués par l'usage privé des pièces (chat capturant une volatile, colombe, scène érotique avec satyre et nymphe). Plusieurs pièces conservent des restes du décor mural en «premier style» (voir n° 49).

Tablinum

Pièce «de représentation» par excellence, le tablinum (voir n° 17) comporte lui aussi, comme l'entrée et l'impluvium, un pavement en plaques de pierres colorées, disposées cette fois de manière à simuler des cubes en perspective, de la même façon – et cela n'est pas sans signification – que les *cella* des temples d'Apollon et de Jupiter. Cette maison de la haute société pompéienne, demeurée presque intacte de ses origines à l'année 79 ap. J.-C., comprenait donc, une partie «privée», avec des pavements plus diversifiés au ton «léger» et un parcours «public», caractérisé par des pavements semblables à ceux des édifices publics qui culminaient dans le *tablinum*, où le propriétaire recevait les *clientes*, scénographiquement encadré par les colonnes de l'exèdre au fond du premier péristyle.

Jardin et exèdre

A l'arrière des parties privées et de représentation, s'ouvrent deux grands jardins avec péristyles, séparés par une file de pièces parmi lesquelles une exèdre, placée intentionnellement sur l'axe entrée-tablinum, comme point focal de l'habitation. C'était la pièce la plus riche de la maison, caractérisée par ses colonnes corinthiennes, avec chapiteaux de stucs peints. Le pavement était constitué par la mosaïque grandiose (aujourd'hui au Musée Archéologique de Naples) représentant la bataille entre Alexandre le Grand et le roi de Perse Darius, qui dérive d'un célèbre tableau de Philoxenos d'Erétrie, contemporain de la conquête de l'Asie par Alexandre. Cette mosaïque, ainsi que d'autres évoquant le monde alexandrin et la conquête de l'Asie, ont permis de supposer l'existence d'un lien entre le propriétaire et le souverain macédonien.

Mosaïque avec la bataille d'Alexandre le Grand, de la Maison du Faune. Naples, Musée Archéologique National

17. maison de la petite fontaine [18]
18. maison du poète tragique [22]
19. maison des dioscures [19]
20. maison de méléagre [20]
21. maison d'apollon [21]
22. maison de salluste [25]
23. maison du chirurgien [26]
24. porte d'herculanum [27]
25. nécropoles de la porte d'herculanum [28]
26. villa de diomède [29]
27. villa des mystères [30]
28. nécropole de la porte du vésuve [31]
29. castellum acquae [32]
30. maison des amours dorés [33]
31. maison des vettii [36]
32. maison de la chasse antique [37]
33. boulangerie (pistrinum) [38]

porta vesuvio
28
29
21
20
30
31
19
23
17
22
32
33
18
via di mercurio
via del vesuvio
via di nola
via consolare
via della fortuna
via stabiana
via delle terme
via degli augustali
via dell'abbondanza

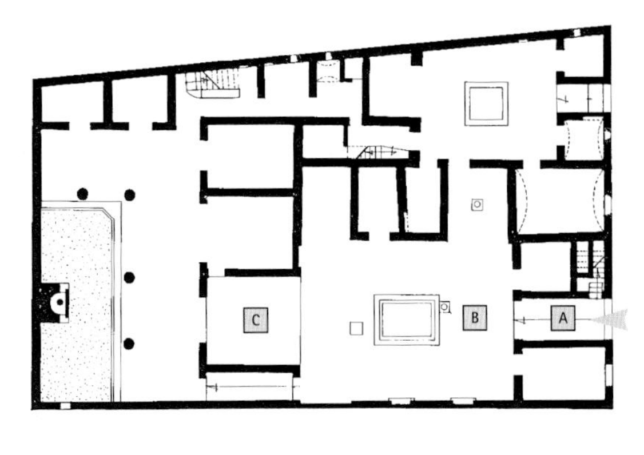

Remontant à l'époque samnite, elle appartient à la catégorie des «maisons à atrium», Ce type d'habitation, propre à la classe dirigente, est caractérisé par un schéma axial constitué d'entrée-atrium-tablinum. Cette partie de la maison était également publique, puisque ouverte aux *clientes* du maître de maison, reçus dans le tablinum. Ce dernier *devait* être somptueux, dans la mesure où il *devait* correspondre à la condition sociale du propriétaire. Le schéma axial fait en sorte que le regard de celui qui entre – ou du passant – soit dirigé vers l'atrium et le tablinum, et évalue immédiatement le statut social du maître de maison. Autour de l'atrium, point focal de la maison, se répartissaient presque toutes les pièces. Le toit a les pans inclinés vers l'intérieur, vers l'ouverture (*compluvium*) par laquelle l'eau de pluie retombait dans un bassin au centre du pavement (*impluvium*) et de là dans la citerne en-dessous, d'où elle pouvait être récupérée par le moyen des bouches de citerne.

Jardin

A l'origine, derrière le tablinum, au fond des maisons, se trouvait un simple *hortus*. A partir du II siècle av. J.-C., lorsque l'espace le consent, l'*hortus* s'agrandit en vastes jardins entourés de péristyles (voir n° 16). L'eau courante disponible depuis la réalisation de l'aqueduc (voir n° 29), permit la réalisation de fontaines, revêtues de mosaïques en pâte de verre et de coquilles, et décorées de sculptures, adossées à la paroi du fond du jardin. La fontaine-nymphée constituait un des éléments propres aux villas hors des villes, que l'on cherchait à reproduire également dans le contexte urbain (voir n° 53). Ici les parois sont ornées de fresques représentant un paysage grandiose, dans lequel sont insérés des édifices maritimes et ruraux (voir également n° 32).

17. maison de la petite fontaine

Maison du Poète Tragique, entrée, mosaïque avec chien enchaîné

La maison, dans laquelle se déroule le célèbre roman de Bulwer Lytton *Les derniers jours de Pompéi*, est caractérisée par la célébrissime mosaïque de l'entrée, représentant un chien enchaîné, avec l'inscription CAVE CANEM: «Attention au chien». Ce type d'avertissement est présent (en mosaïque ou peint sur une paroi) également dans d'autres habitations de Pompéi et rappelé par les sources littéraires, comme le savoureux épisode du *Satyricon* de Pétrone, dans lequel le protagoniste est effrayé par le grand chien peint.

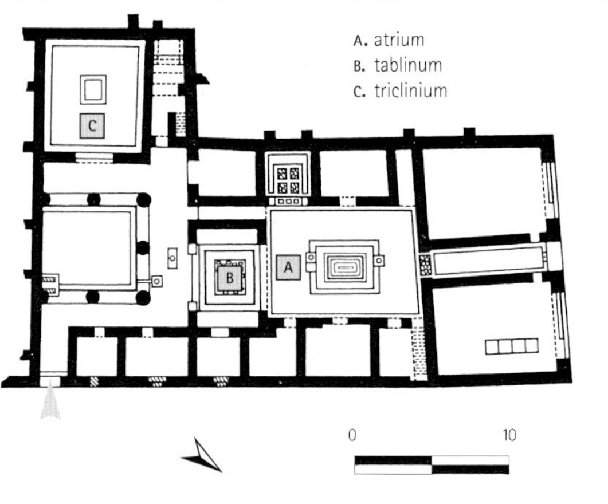

18. maison du poète tragique

Fresque avec le sacrifice d'Iphigénie, de la Maison du Poète Tragique. Naples, Musée Archéologique National

Mosaïque avec scène de préparation du drame satirique, de la Maison du Poète Tragique. Naples, Musée Archéologique National

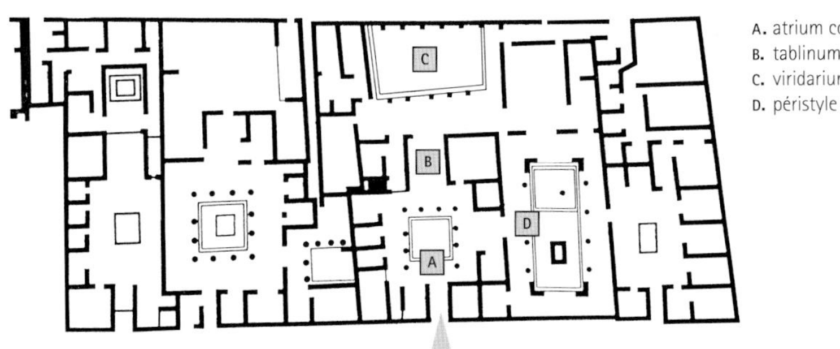

A. atrium corinthien
B. tablinum
C. viridarium
D. péristyle

VI, 9, 6
Fouillée en 1828-1829, la maison donne sur la rue de Mercure près du Forum, dans une zone occupée par des habitations de grandes dimensions: la richesse des peintures en IV style (voir n° 10) et l'articulation planimétrique en vastes pièces font de la maison un des exemples les plus célèbres de demeure de luxe de la dernière phase de Pompéi. Ouverte sur la rue par deux entrées et une façade en *opus quadratum*, la maison naît de la juxtaposition de deux noyaux et occupe un tiers de l'*insula*. Elle s'organise autour de l'atrium corinthien qui constitue la charnière vers le grand tablinum richement décoré, le jardin (*viridarium*) et, à droite, vers le péristyle.

Persée libère Andromède, fresque de Pompéi, Maison des Dioscures. Naples, Musée Archéologique National

Atrium

Le vrai centre de la maison est l'atrium, un des quatre de type corinthien conservés à Pompéi: à la différence de l'atrium toscan, plus répandu, l'atrium corinthien est caractérisé par la présence de colonnes soutenant le toit. Scandé par un portique de douze colonnes cannelées en tuf couvertes de stuc, l'atrium est décoré de peintures représentant des divinités, réalisées par le même atelier que celui ayant travaillé dans la Maison des Vettii (n° 31): les compositions décoratives de grandes dimensions, l'abondance des figures humaines et le remplissage des murs, typique du IV style (voir n° 20), reflètent le goût des riches commanditaires romains de la dernière période de Pompéi. Les peintures les plus précieuses, dont celle des Dioscures qui a donné son nom à la maison, ont été transportées au Musée Archéologique National de Naples.

Péristyle
Du côté droit de l'atrium on accède au péristyle, ajouté dans un second temps au noyau originel: au centre se trouvent deux bassins (fontaines) de dimensions différentes. Les colonnes des portiques revêtues de stuc rouge dans la partie inférieure et de stuc blanc dans la partie supérieure, couronnées de chapiteaux de style corinthien en stuc, s'interrompent sur le côté le plus haut (à l'est) pour laisser bien visible l'espace à l'arrière, l'*oecus* (pour le séjour et la réception), complètement ouvert sur le péristyle et sur le jardin. Les élégantes peintures du IV style représentent des «tapisseries» suspendues entre de minces architectures et des tableaux (*pinakes*) de nature morte. La décoration était interrompue sur les deux pilastres d'accès à l'*oecus* par deux tableaux, aujourd'hui au Musée Archéologique National de Naples: Médée qui médite la mort de ses enfants et, en *pendant*, Persée libérant Andromède.

Maison de Méléagre, l'oecus corinthien

VI, 9, 2.13

La maison est située à la fin de la rue de Mercure, non loin des murs d'enceinte, dans une zone de la Région VI occupée par des habitations de la haute société. Composée de deux parties juxtaposées, celle gravitant autour de l'atrium toscan et celle ouverte sur le péristyle, elle conserve dans sa partie la plus ancienne le pavement d'origine de l'époque républicaine en «cocciopesto» (mortier obtenu par le mélange de chaux et de terre cuite pilée) orné de tesselles blanches, et, dans la partie annexée ultérieurement, les mosaïques blanches et noires réalisées après 62 ap. J.-C., à la même époque que les peintures en IV style (voir n° 10) qui décorent les parois. Dans le vestibule, la peinture (aux couleurs désormais passées) représentant Méléagre et Atalante d'où la maison tire son nom, atteste dès l'entrée de l'exubérance décorative de l'édifice.

Décoration murale à fresque et en stuc polychrome, de Pompéi, Maison de Méléagre. Naples, Musée Archéologique National

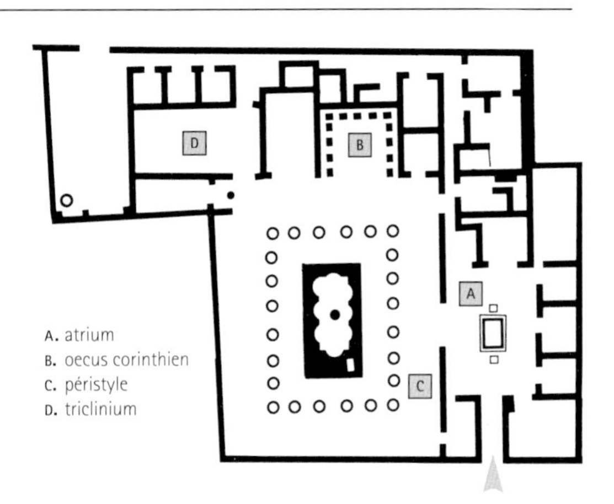

Oecus corinthien

Pièce de séjour et de réception, l'*oecus* s'impose dans l'articulation complexe de la maison. Il est de type corinthien, c'est-à-dire décoré de colonnes, ce qui est plutôt rare à Pompéi. Les colonnes corinthiennes posent sur de hautes bases peintes imitant le marbre et bordent trois parois; la quatrième est complètement ouverte sur le péristyle et encadrée de demi-colonnes recouvertes de stuc. Les peintures en IV style représentent une structure architecturale garnie de masques de théâtre, de satyres, de figures féminines en vol et, au centre, de tableaux, dont celui représentant Thésée vainqueur du Minotaure et Ariane, est particulièrement digne d'intérêt.

Péristyle

Occupé en son centre par un bassin entièrement peint en bleu et une fontaine en marbre, le péristyle est bordé de colonnes revêtues de stuc rouge et blanc, auxquelles étaient fixées les anneaux des tentures destinées à abriter du soleil les pièces derrière les portiques.

Triclinium

Le triclinium, à la structure architecturale grandiose, donne dans l'angle nord-est du péristyle: tous les éléments de la décoration peinte en IV style sont surdimensionnés pour s'adapter à l'ampleur de la pièce. La présence de figures humaines sur la plinthe, l'emploi étendu et inhabituel du bleu, ainsi que l'abondance de tableaux figurés correspondent à la volonté de créer une décoration à l'effet certain, comme l'atteste aussi la singulière frise en stuc. Le tableau central du mur nord représente Pâris assis en compagnie d'Hermès, qui désigne Aphrodite comme la plus belle des trois déesses.

Maison d'Apollon, mosaïque dans le jardin représentant Achille reconnu par Ulysse

Représenté plusieurs fois dans les peintures et par une statuette retrouvées dans cet édifice, le dieu Apollon a donné son nom à la maison qui appartenait probablement au propriétaire de l'anneau sigillaire découvert en 1830, *A. Here(n)nuleius Communis*: peut-être un commerçant qui avait des affaires avec le banquier Cecilius Giocondus comme le laisserait supposer la récurrence de son nom par trois fois dans les tablettes du banquier. Le plan de la maison est plutôt irrégulier à cause des ajouts réalisés au I siècle av. J.-C. pour en agrandir la superficie et y insérer des jardins. Le tablinum, d'où proviennent les statuettes d'Apollon et du Faune chassant un cerf (aujourd'hui au Musée Archéologique National de Naples), est décoré de peinture de l'époque de Néron d'un style analogue à celui de la Maison des Vettii (n° 31): des tapisseries suspendues entre de légères architectures abritent des tableaux peints, parmi lesquels se distingue celui de Vénus au miroir.

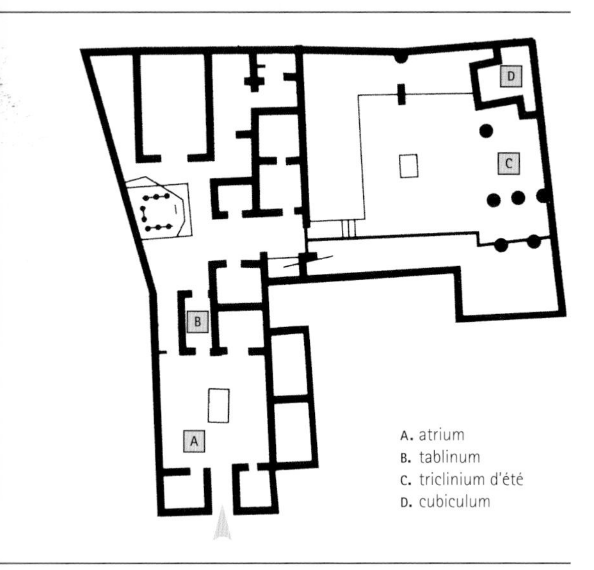

Jardin

A travers le tablinum on gagne le secteur le plus fastueux de la maison, le jardin, articulé en deux parties: une partie supérieure avec une fontaine pyramidale qui était ornée de petites statues, et une partie inférieure comprenant un bassin circulaire et, sur trois côtés, des parcelles plantées d'herbes et de fleurs.
Le triclinium d'été, protégé par un portique à quatre colonnes et toit incliné, occupe le centre de la partie inférieure du jardin. A gauche au fond du jardin, le mur extérieur du cubiculum est revêtu de fragments de calcaire et d'un tableau en mosaïque qui suggère l'exubérance décorative de la maison. Le tableau représente Achille découvert par Ulysse: le jeune héros s'était déguisé en femme et caché à Scyros parmi les filles du roi Licomède (on reconnaît Déidamia qui assiste atterrée à la scène) pour échapper à la guerre de Troie au cours de laquelle il aurait, selon l'oracle, trouvé la mort. Le sujet, plutôt fréquent dans la peinture du IV style (voir n° 10), revient environ dix fois dans les fresques pompéiennes de cette période. D'autres murs du jardin étaient décorés de tableaux en mosaïque: les plus remarquables d'entre eux, la mosaïque d'Achille qui dégaine son épée contre Agamemnon au cours de la lutte pour la possession de Briséide, et celui avec les trois Grâces, sont conservés au Musée Archéologique National de Naples.

Cubiculum

A gauche du jardin se trouve le cubiculum d'été, une pièce à deux alcôves. Les peintures représentent un paysage dans lequel se déroule une bacchanale autour d'un arbre sacré. Dans l'alcôve de droite, Apollon en trône arbitre le concours entre la planète Vénus et *Hesperus* (l'étoile du soir); sur une autre paroi, le dieu défie au cours d'une épreuve musicale Marsyas et Minerve; dans l'alcôve de gauche, Marsyas qui s'est vanté de sa supériorité musicale sur Apollon est battu par celui-ci au cours d'une épreuve musicale et va être dépecé.

Maison de Salluste, le tablinum et l'atrium. A droite on remarque les plaques de marbres feintes typiques des décors peints en premier style pompéien

VI, 2, 4
Près de la Porte d'Herculanum (n° 24) se trouve une des plus anciennes maisons de Pompéi: elle date de l'époque samnite (III siècle av. J.-C.) et présente un plan similaire à celui de la Maison du Chirurgien (n° 23). L'ancien noyau (voir n° 16 et 17) comprenait seulement l'atrium, les pièces de service et les chambres, les *alae* (pièces latérales destinées au culte des images des ancêtres), le *tablinum* et un petit jardin clos, avec deux portiques à colonnes de calcaire.
Probablement pendant sa phase ultime, la maison fut transformée en une auberge dotée de nombreuses chambres à coucher, également à l'étage supérieur qui fut ajouté ultérieurement, et servie par une *caupona* (pour la restauration) ouverte dans la façade en tuf de l'édifice.

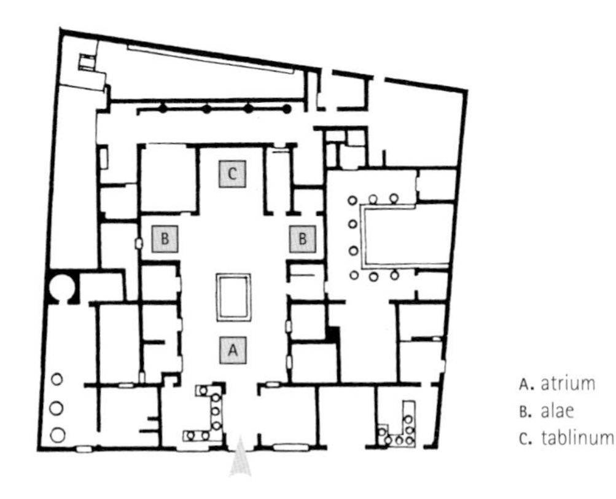

A. atrium
B. alae
C. tablinum

Atrium et tablinum
Suite au bombardement qui endommagea la maison en 1943, l'atrium conserve seulement une partie de la fastueuse décoration en I style (voir n° 27 et 49): à bossages en stuc coloré, à listels dentés et à parastates cannelées sur les côtés des *alae* et du tablinum, la décoration peinte imite une paroi revêtue de plaques de marbre. Le rebord de l'impluvium en tuf avec ses moulures dans le style ancien, était orné d'une biche en bronze.

Jardin
Un couloir à droite de l'atrium conduit à la partie ajoutée au noyau originel au I siècle av. J.-C.: un jardin avec des chambres à coucher, une salle à manger et une cuisine. Il s'agit probablement de la zone réservée à l'aubergiste et à sa famille. Particulièrement intéressante, la fresque sur le mur du fond du jardin représente Actéon assailli par les chiens de Diane parce qu'il a osé regarder la déesse nue.

23. maison du chirurgien

Fresque représentant une peintre, de la Maison du Chirurgien. Naples, Musée Archéologique National

A. atrium
B. alae
C. tablinum
D. pièce avec fenêtre

VI, 1, 10
Fouillée dans les années 1770-1771 et en 1777, la maison qui doit son nom aux instruments de chirurgien en bronze et en fer qui y ont été découverts (environ quarante entre sondes, cathéter, pinces, bisturi et forceps gynécologiques conservés au Musée Archéologique National de Naples), est une des plus anciennes de Pompéi: elle date du III siècle av. J.-C. (voir n° 22). Construite en blocs de calcaire réguliers pour la façade, et en «opera a telaio» pour les murs intérieurs (c'est-à-dire en files horizontales et verticales de grands blocs avec délimitation des plans en pierraille), elle se distingue par sa hauteur supérieure à celle des autres édifices de la rue Consulaire. De plan régulier, avec les pièces les plus représentatives distribuées autour de l'atrium, la maison conserve intègre sa disposition originelle, bien qu'elle ait été l'objet d'au moins deux restructurations au cours de la période samnite: on a considérablement rehaussé le pavement et ajouté un étage supérieur dans la partie rustique.

Atrium
Des études récentes attribuent au III siècle av. J.-C. l'impluvium (voir n° 17) placé au centre de l'atrium, dont la décoration originelle est seulement partiellement conservée. Un seuil orné d'un précieux motif à caissons d'époque impériale marque le passage de l'atrium à l'aile de gauche.

Jardin
La partie postérieure de la maison est occupée par le jardin-*hortus* (voir n° 17) sur lequel donne une pièce avec une fenêtre ornée, dont la décoration murale est encore conservée. La peinture que l'on voit à l'extérieur est du I style (voir n° 49) et date du II siècle av. J.-C., tandis que la peinture à l'intérieur a été réalisée autour de 50 av. J.-C. Au centre du mur de droite le tableau représentant un poète a désormais disparu; la fresque de style hellénistique (aujourd'hui au Musée Archéologique National de Naples) qui était peinte sur le mur opposé, représente une femme, assistée par un esclave, en train de peindre un Herme de Priape sous le regard de trois femmes pensives.

La porte, qui ne présente aucune installation défensive, dut être réalisée après la conquête de Sylla, lorsque la fonction de la muraille d'enceinte perdit de son importance. Elle est construite en *opera vittata mista* (noyau en mortier et pierraille, avec un revêtement de bloc de tuf ou de travertin alterné de briques). Il faut rappeler que tous les types de mur étaient recouverts d'enduit. Sur la droite en sortant de la ville, est conservée une partie des marches qui conduisaient au chemin de ronde couronnant les murs.

24. porte d'herculanum et enceinte

Fouillée à plusieurs reprises entre 1763 et 1838 (les fouilles de Pompéi débutèrent en 1748), c'est la plus célèbre des nécropoles pompéiennes. Elle est située le long de la route qui conduisait à Herculanum et à Naples. La loi prescrivait une zone libre de 30 mètres environ entre les murs des villes et le début des nécropoles, mais on concédait souvent aux citoyens importants le droit d'édifier leur tombe dans une telle zone. Entre le I siècle av. J.-C. et le I siècle ap. J.-C., les défunts étaient généralement incinérés et les cendres recueillies dans un vase, muré dans la tombe ou enterré dans le sol et indiqué généralement par une borne en forme de buste humain schématisé (*columella*). Les édifices funéraires de cette nécropole vont du milieu du I siècle av. J.-C. à la seconde moitié du I siècle ap. J.-C.

25. nécropole de la porte d'herculanum

Tombe de Mamia et des Istacidii
La tombe à siège semi-circulaire (*schola*: voir n° 28) est celle de la sacerdotesse *Mamia*, comme le dit l'épigraphe gravé sur le dossier. La tombe située à l'arrière, appartenant à la *gens* des *Istacidii*, une des plus importantes familles pompéiennes à l'époque d'Auguste, est constituée d'une grande chambre funéraire surmontée d'un édicule circulaire, entre les colonnes duquel se trouvaient les statues des plus importants représentants de la famille.

Tombe de Calventio et de Nevoleia Tyche
Elles appartiennent toutes les deux au type «à autel» et remontent à l'époque de Néron (54-68 ap. J.-C.). Les autels conservent le revêtement en marbre, avec des reliefs qui se réfèrent à la vie du défunt. Celle de l'augustal (sacerdote de l'empereur) *Caius Calventius Quietus*, représente, entre autre, le *bisellium* (siège double) symbole de l'honneur concédé à Calventius de siéger au premier rang au théâtre. Sur l'autel de la tombe dédiée à *Naevoleia Tyche* et à l'augustal *Caius Munatius Faustus*, est représenté, outre le petit portrait de Nevoleia et un *bisellium*, un bateau de marchandise, en référence à l'activité commerciale de Munatius.

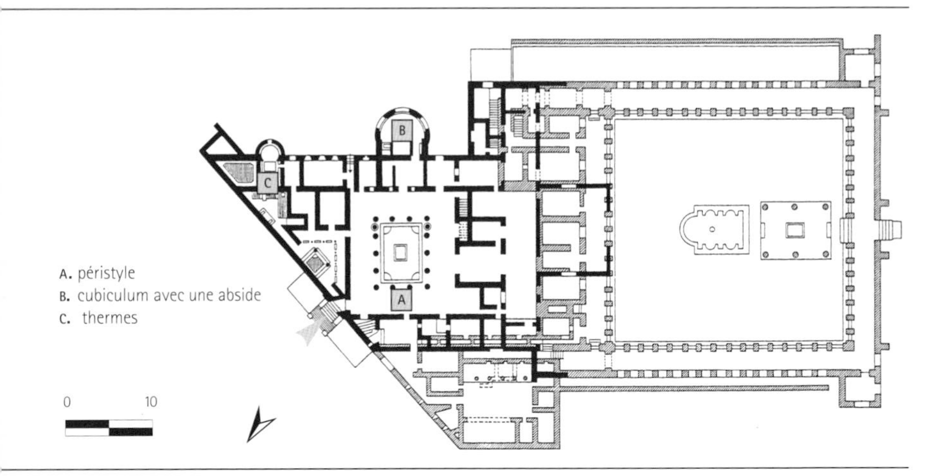

Venue au jour entre 1771 et 1774, la Villa de Diomède est, avec la Villa des Mystères (n° 27), une des plus luxueuses villas suburbaines (c'est-à-dire situées hors de la ville) de Pompéi. On y arrive par la rue des Sépulcres à peu de distance de la Porte d'Herculanum (n° 24). Elle doit sa dénomination à l'association impropre avec la tombe de M. Arrius Diomède, située au bord de la route en face de la villa. Construite au II siècle av. J.-C., elle fut agrandie après la déduction coloniale de 80 av. J.-C. (voir introduction). La planimétrie de la villa est articulée sur deux niveaux, avec une grande liberté à l'égard de la succession canonique des pièces d'une résidence urbaine, ce qui consentait l'accès direct au péristyle, par l'entrée monumentale, selon les prescriptions de l'architecte Vitruve. A gauche en entrant se trouve le secteur thermal, dans lequel se succèdent le *frigidarium*, le *tepidarium*, le *calidarium* (voir n° 14), les pièces résidentielles et les pièces de service. Au sud du péristyle s'ouvre un cubiculum comportant une abside et trois fenêtres, probablement destiné au propriétaire; à l'ouest se trouve le tablinum qui donne sur une loggia et un grand triclinium avec vue sur la mer.

26. villa de diomède

Péristyle-jardin

Un escalier permet l'accès à l'étage inférieur de la villa (actuellement non visible), construit sur un cryptoportique qui servait de cave et supportait un péristyle entourant un jardin. A l'intérieur se trouvent un bassin avec fontaine et un triclinium d'été. Dans le cryptoportique ont été retrouvés les corps des victimes qui s'y étaient réfugiées (parmi lesquelles la femme et la fille du maître de maison, accompagnées des esclaves), emportant avec elles bijoux et monnaies, dans leur tentative desespérée d'échapper à l'éruption et à la mort.

A. ancienne entrée
B. péristyle
C. cuisine
D. atrium
E. tablinum
F. salon
G. triclinium de la megalographie
H. torcularium

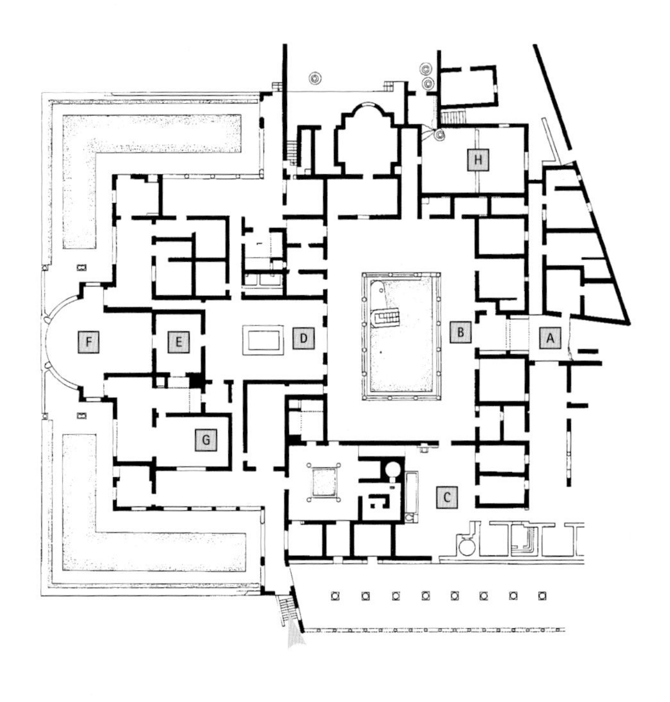

La villa appartenait probablement à la famille des Istacidii (voir n° 25), comme on peut le déduire d'un anneau sigillaire qu'on y a retrouvé. On considère généralement que sa construction remonte au II av. J.-C., avec d'importantes restructurations vers 60 av. J.-C. puis au cours du I siècle ap. J.-C. Elle est construite sur un terrain qui descend en pente vers la mer, qui n'était alors pas très loin; le dénivelé fut comblé par une terrasse artificielle soutenue par un cryptoportique. Les quelques cent villas découvertes dans la zone du Vésuve sont pour la plupart liées à l'exploitation agricole du territoire, mais presque toutes ont une partie résidentielle, parfois de grand luxe. C'est le résultat de la mode, qui s'est diffusée parmi les classes supérieures à partir de la seconde moitié du II siècle av. J.-C., d'avoir un «refuge» hors de la ville, dans lequel passer les périodes de vacances. Edifices dans lesquels l'on cherchait à recréer (avec des espaces verts, des portiques panoramiques et des systèmes de décoration raffinés) une atmosphère imprégnée par la culture grecque, avec laquelle les romains étaient récemment entrés en contact.

La Villa est situé le long de la route qui, venant de Pompéi se dirigeait vers Herculanum. Il comprend un quartier résidentiel (vers l'ouest, face à la mer) et un quartier domestique (à l'est) adjacent aux pièces destinées à l'élaboration du vin (sur le côté nord). L'entrée, sur le côté est, introduit directement dans le vaste péristyle qui raccorde les différents secteurs. De ce dernier on accède également, au sud, à la grande cuisine et au quartier thermal. Les pièces du quartier résidentiel sont disposées de part et d'autre d'un axe constitué par l'atrium, le tablinum et la salle de séjour avec exèdre semi-circulaire. Elles sont décorées principalement de splendides fresques du «second style» relatifs à la restructuration effectuée vers 60 av. J.-C.

Triclinium
La fresque, avec ses figures presque grandeur nature (*megalographia*), qui se déroule sur toute la paroi de cette salle à manger (*triclinium*), appartient à la période du «second style» mais dérive de précédents modèles alexandrins.
D'interprétation très discutée, on a pensé qu'elle représentait un rite d'initiation à un culte mystérieux, peut-être dionysaque: de là la dénomination de la villa. Il semble s'agir, dans en tout cas, d'un rite d'initiation féminin, lié au culte de Dionysos. En effet, le cycle culmine dans la paroi du fond avec Dionysos ivre appuyé au giron d'une figure féminine assise sur un trône, peut-être Ariane. La salle est enrichie par un des rares pavements en plaques de marbre.

Villa des Mystères, triclinium, détail de la mégalographie avec scène d'initiation

Villa des Mystères, torcularium, reconstitution de la presse à tête de bélier

Villa des Mystères, tablinium, détail du décor à motifs égyptisants

Torcularium

Dans le *torcularium* étaient installées deux presses (l'une est reconstruite) pour le pressage du raisin.
Au moyen d'un levier, on abaissait le robuste tronc à tête de bélier sur le raisin déjà foulé avec les pieds; le jus s'écoulait par un petit canal, directement dans la cave à vin où il était conservé dans de grands récipients de terre cuite (*dolia*) à demi enterrés.
La viticulture et la production du vin étaient des activités fondamentales dans la vie économique de Pompéi.
Dans la plaine du Sarno et sur les pentes du Vésuve poussaient de nombreuses vignes, qui fournissaient une production vinicole abondante et de qualité diversifiée, largement exportée.

Tablinum

Les parois de ce tablinum constituent un des meilleurs exemples d'une décoration en «troisième style» (voir n° 49) à fond noir. Les parois sont divisées en trois par de subtils motifs décoratifs en miniature, parmi lesquels sont à signaler ceux de la prédelle, avec des scènes égyptisantes.
L'engouement pour ces scènes, fidèlement reprises de la peinture égyptienne – mais comme de purs motifs décoratifs, souvent sans en comprendre la signification – s'affirme par suite des contacts étroits avec l'Egypte, après sa conquête par Octavien, en 31 av. J.-C. D'autre part, leur style linéaire – des dessins colorés privés de toute profondeur – correspond parfaitement aux principes du «troisième style».

Villa des Mystères, triclinium, détail de la mégalographie avec scène d'initiation

Villa des Mystères, cubiculum, décor mural de second style avec architecture en trompe-l'oeil

Cubiculum
Le système de décoration murale appelé «second style» s'est diffusé entre le début du I siècle av. J.-C. et les années 30-20 av. J.-C. Sur l'enduit étaient peintes, à fresque, des architectures: d'abord limitées à de simples colonnades, puis toujours plus complexes, elles étaient représentées de manière plastique et avec un sens aigu de la perspective, donnant l'impression que la paroi s'ouvrait sur des portiques avec jardins et édifices en trompe-l'oeil. Les architectures représentées sont réelles, non pas fantastiques et stylisées comme cela sera le cas dans les «styles» suivants (voir n° 10 et 49). Employées dans les pièces de représentation, elles contribuaient à «dilater» l'espace et à en augmenter le faste.

Nécropole de la Porte du Vésuve, tombe de Tertulla, *de* Septumia *et de* Vestorius Priscus

Restes des fortifications et d'une tour près de la Porte du Vésuve

Tombes de Tertulla et de Septumia
A l'extérieur de chacune des portes du mur d'enceinte de Pompéi (avec l'exception, pour ce que l'on connaît, de la Porte Marine), le long des routes qui sortaient de la ville, se trouve une nécropole (voir n° 25 et 57). La tombe constituée d'un siège semi-circulaire soutenant une colonne (tombe «a schola») est fréquente près des portes et appartient généralement à un personnage féminin, prêtresse publique ou femme de magistrat. La tombe à base parallelépipédique surmontée d'une colonne sur laquelle devait se trouver un vase de marbre, appartient, comme le rappelle l'épigraphe, à *Septumia*, à laquelle l'administration de la ville a concédé le sol et l'argent nécessaire à sa sépulture.

Nécropole de la Porte du Vésuve, tombe de Vestorius Priscus, fresque avec table et vaisselle d'argent et fresque avec scène de combat de gladiateur

Tombe de Vestorius Priscus

Elle est constituée d'une enceinte qui entoure un soubassement surmonté d'un autel (voir n° 25). Les parois internes de l'enceinte et celles du soubassement conservent des peintures représentant des scènes de chasse, un combat de gladiateur et des scènes de la vie du défunt. L'autel est décoré de stucs en relief représentant des ménades et un satyre. Comme on le lit sur l'épigraphe, il s'agit de la sépulture de l'édile (voir n° 47) *Caius Vestorius Priscus*, mort à 22 ans. Cette tombe aussi se trouve à l'intérieur de la zone de restriction mais l'administration municipale (les décurions) en ont autorisé la construction. Sur la paroi intérieure nord-est de l'enceinte, la fresque représente une table couverte d'un riche service d'argenterie, exhibition du statut social du défunt. Nous savons que le jeune homme assuma la fonction d'édile entre 75 et 76 ap. J.-C. Le monument fut donc construit peu de temps avant que l'éruption n'ensevelisse Pompéi en 79 ap. J.-C.

Castellum acquae, l'extérieur et un détail des structures hydrauliques

C'est l'arrivée dans la ville de l'aqueduc qu'a fait construire Auguste pour fournir la flotte impériale stationnée à Misène. Un bras de l'aqueduc, alimenté par les sources de l'Acquaro, près de Serino, atteignait Nola et Pompéi. Le *castellum* fut construit à l'arrière de la Porte du Vésuve et intégré au mur d'enceinte au point le plus haut de la ville, pour pouvoir distribuer l'eau en exploitant la pression de sa chute. Sur le côté sud, le mur en brique semble correspondre à la restauration du castellum après les sismes de 62 ap. J.-C. et des années suivantes. Avant sa construction, les habitants utilisaient l'eau de pluie, recueillie dans les maisons par le *compluvium* et l'*impluvium* (voir n° 49), et l'eau des puits publics qui atteignaient la nappe phréatique. L'intérieur du *castellum* est constitué d'un bassin à trois diramations qui acheminent l'eau vers les différentes zones de la ville. Un système de sarrasines permettait d'en réguler la distribution, qui s'effectuait par des tuyaux en plomb. Outre les fontaines et les édifices publics, tels que les thermes, l'aqueduc désservait également les édifices privés, mais seulement les plus riches. En 79 ap. J.-C., une grande partie du réseau hydraulique était en cours de réfection. Les parois extérieures latérales sont en *opus reticolatum* (noyau en brique et revêment en pierres de forme pyramidale, avec la pointe enfoncée dans l'intérieur et la base vers la façade).

29. castellum aquae

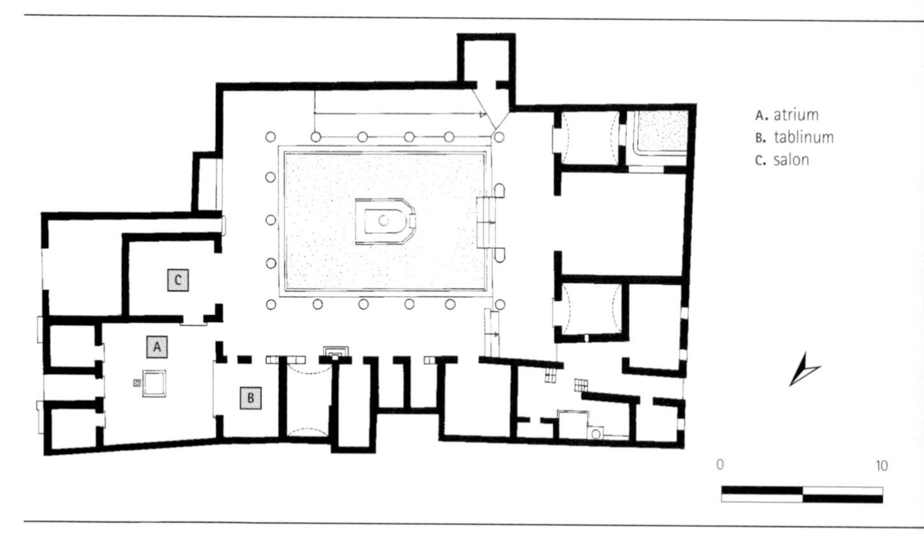

Maison des Amours Dorés, salon, mosaïque du pavement

VI, 16, 7
L'habitation est dénommée ainsi en raison des amours gravés sur des petites plaques d'or (aujourd'hui au Musée Archéologique de Naples) qui ornaient une des pièces donnant sur le péristyle: peut-être la chambre à coucher des maîtres de maison. Sur la base de graffiti, on conclut qu'elle appartenait à *Cn. Poppaeus Habitus*, apparenté à Poppée, la femme de Néron. L'entrée, flanquée de deux *cubicula* avec des restes de décoration en «premier style», et le modeste atrium avec le tablinum dans le fond, respectent l'emplacement originel de la maison. Celle-ci fut agrandie et modifiée en plusieurs étapes, entre la fin du III siècle av. J.-C. et le I siècle ap. J.-C., jusqu'à obtenir la disposition actuelle, centrée sur le grand péristyle avec jardin, sur lequel s'ouvrent les pièces de représentation. La zone domestique, avec la cuisine et la latrine, est confinée dans l'angle nord-ouest de l'édifice, près de la sortie arrière.

finira par provoquer indirectement la mort du roi.
Le pavement en mosaïque blanche et noire est dominé par la grande rosace centrale. Tandis que pendant la période du «second style» il était d'usage de placer au centre des pièces de représentation un véritable tableau en mosaïque polychrome (n° 43), à partir de l'époque d'Auguste se diffusent les pavements en mosaïque blanche et noire à simples motifs géométriques. La préparation du pavement prévoyait une base de mortier et pierres, puis une couche de briques concassées et de mortier et, enfin, une couche d'enduit blanc. Sur cette dernière on traçait les lignes principales du dessin à réaliser et on appliquait ensuite les tesselles. Les coûteux pavements en mosaïque se rencontraient uniquement dans les maisons d'une certaine richesse, et étaient habituellement réservés aux pièces de représentations et aux salles thermales.

Maison des Amours Dorés, salon, fresque avec Jason se présentant au roi Pelée

Salon
L'ample salon de représentation, sur le côté est du péristyle, est orné de fresques du «troisième style» dans lesquelles se remarquent, au centre des parois, les grands cadres à sujet mythologique. Dans ces derniers, à la différence du «quatrième style», architectures et paysages occupent une grande place. Sur la paroi du fond est représenté Jason, avec une seule sandale, qui se présente au roi Pélée. Ce dernier, effrayé par une prophétie selon laquelle il aurait été tué par un homme avec une seule sandale, cherchera à s'en libérer en lui confiant une dangereuse mission: la conquête de la toison d'or. Mais le héros, à la tête des Argonautes, surmontera l'épreuve et

Jardin

Péristyle et jardin étaient caractérisés par un grand nombre de petites sculptures et de reliefs en marbre (ils ne sont plus exposés aujourd'hui): masques de théâtre et médaillons décorés en relief (oscilla) pendant entre les colonnes du péristyle; pilastres à reliefs, petites têtes dionysiaques et animales. Ils reflètent la mode, répandue au I siècle ap. J.-C., d'imiter dans les maisons des villes certains aspects des grandes villas suburbaines (voir n° 36 et 53). Un de ces aspects était la décoration sculptée, dont on ne retint essentiellement que les motifs liés à la nature (animaux) et au monde dionysiaque (hermes de Dionysos, satyres, masques du théâtre), moins cultivés et plus proches de la sensibilité des «nouveaux riches» pompéiens. Plusieurs statuettes, dérivant parfois de modèles grecs, sont utilisées comme des jets de fontaines.

Maison des Amours Dorés, laraire d'Isis, fresque avec le dieu Anubis à la tête de chacal et la déesse Isis avec le sistre dans la main

Statuette de Lares en bronze, de Pompéi, Maison des Amours Dorés. Naples, Musée Archéologique National

Laraire d'Isis

Outre un petit laraire en maçonnerie, destiné au culte des divinités traditionnelles (voir n° 43), le péristyle abrite également un laraire peint avec la représentation des divinités égyptiennes: le propriétaire était apparemment sensible à la fascination des religions orientales, en accord avec la mentalité religieuse syncrétiste propre aux romains. La fresque représente Anubis (avec la tête de chacal), dieu des morts assimilé par les Romains à Mercure «accompagnateur des âmes»; Arpocrate, correspondant au dieu enfant Ous, fils d'Isis et Osiris; Isis (voir n° 42) et Sérapis, divinité gréco-égyptienne assimilée à Dionysos et à Esculape, invoqué comme guérisseur et sauveur. A côté se trouvent divers objets du culte d'Isis, dont le sistre (voir n° 53), gardés par le cobra sacré (*uraeus*). Dans le bas, les habituels serpents *agathodemone* (voir n° 49).

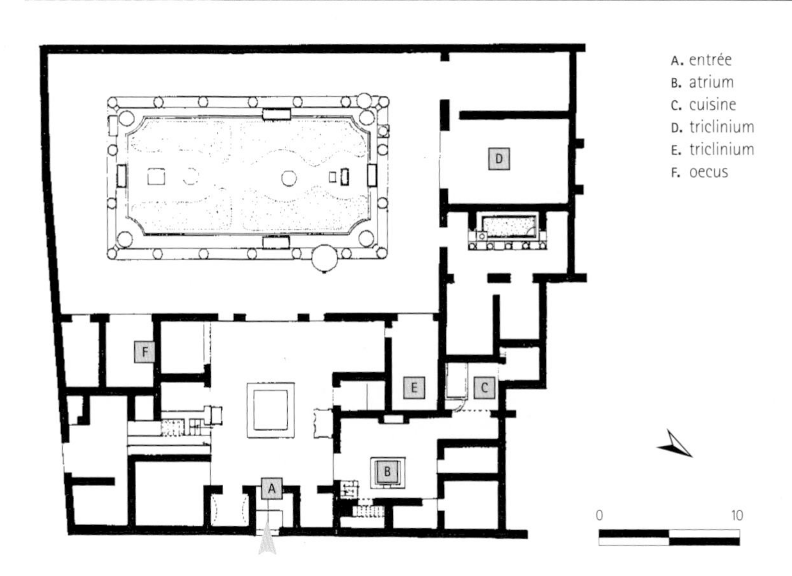

A. entrée
B. atrium
C. cuisine
D. triclinium
E. triclinium
F. oecus

VI, 15, 1
Sur la base d'inscriptions électorales, et surtout de deux anneaux sigillaires, on connaît les noms des propriétaires *Aulus Vettius Conviva* et *Aulus Vettius Restitutus*: deux liberti à l'activité commerciale florissante. La maison, à l'origine à double atrium, fut profondément transformée vers le milieu du I siècle ap. J.-C. Le tablinum en particulier fut éliminé, de tel sorte que de l'atrium on passe directement au péristyle qui, comme dans d'autres habitations de cette période, devient le vrai centre de la maison. Sur le péristyle s'ouvrent en effet le triclinium, les pièces de séjour et un petit appartement disposé autour d'une petite cour, réservé, selon certains, aux femmes de la maison.

Lararío

Le petit atrium secondaire, autour duquel sont disposées sur deux étages les pièces de service et les logements des esclaves, est dominé par le grand laraire en forme d'édicule.
Le fronton, soutenu par des demi-colonnes corinthiennes, est décoré d'objets relatifs au culte, en stuc.

Sur la paroi du fond, comme d'habitude, sont peints les deux Lares avec au centre le *Genio* du maître de maison, en train de sacrifier; dans le bas, le serpent *agathodemone*, élément bénéfique (voir n° 49).

Maison des Vettii, entrée, fresque de Priape

Entrée

A l'entrée surgit la figure d'un Priape, dieu de la fertilité, avec son gigantesque phallus posé sur le plateau d'une balance, qui fait contrepoid à une bourse d'argent: une image contre le mauvais oeil et un voeux de richesse. Sur la paroi adjacente est peinte une brebis avec les attributs de Mercure (dieu du commerce). Garantes de prospérité et liées à l'activité des propriétaires, ces peintures, sont l'expression d'un art clairement populaire, hors des schémas décoratifs rigides en usage dans les autres pièces.

Cuisine

Sur le foyer de la cuisine, sont posés, tels qu'il furent retrouvés, le grill en fer et les casseroles de bronze. Sous le plan de travail, une ouverture en forme d'arc pour le bois à brûler; le feu était allumé dans le foyer. Le petit-déjeuner et le déjeuner (ce dernier souvent pris hors de la maison (voir n° 48) étaient des repas frugaux. Le repas principal était le dîner, au cours duquel on mangeait à demi allongé sur des lits. Un dîner complet prévoyait une entrée (*gustatio*) avec oeuf, légumes, fruits de mer et vin au miel; ensuite un plat de viande, de poisson et de légume, avec des portions plus ou moins nombreuses (*prima cena*); enfin la *secunda cena*, avec desserts, fruits frais et fruits sec. Le vin était, le plus souvent, dilué et aromatisé. Un des ingrédients les plus répandus, utilisé dans de nombreuses recettes, était le *garum*, une espèce de sauce obtenue par la macération de la saumure de poisson.

Maison des Vettii, atrium

Maison des Vettii, salle adjacente à la cuisine, statue-fontaine de Priape

Atrium

L'atrium est décoré en «quatrième style» (voir n° 10) d'une finesse remarquable, avec des figures d'enfants qui accomplissent des sacrifices, des petits amours sur des biges ou des animaux, de somptueux chandeliers. Le compluvium conserve les gargouilles en terre cuite, à tête de lion, qui déversaient l'eau de pluie dans l'impluvium en-dessous. Sur les parois latérales, se trouvaient deux coffres forts en bois, revêtus de fer et de bronze. Avec l'absence du tablinum, la maison, bien que de grande richesse, ne semble plus destinée spécifiquement à l'exaltation de la place sociale du propriétaire, à la différence de la maison «à atrium» propre à la classe dirigente (voir n° 16 et 17).

«Chambre du Priape»

De la cuisine on accède à une petite chambre avec des peintures érotiques, exécutées, comme c'est l'habitude dans ces formes d'art populaire, dans un style simple et fluide. La statue-fontaine de Priape (l'eau jaillissait du phallus) qui fut retrouvée dans la cuisine appartenait, vraisemblablement, au jardin.

Jardin

Grâce à l'eau courante acheminée par l'aqueduc, le jardin était parsemé de petites sculptures desquelles jaillissait l'eau qui retombait dans les vasques toujours en place. La richesse de la décoration et des jeux d'eau, peut-être presque trop exubérante par rapport aux dimensions du jardin, est le fruit de la mode, diffusée au cours de la première période de l'empire, de reproduire jusque dans les maisons de ville aux dimensions restreintes les espaces verts et la décoration sculptée des grandes villas suburbaines (voir n° 53).

Oecus

La salle de séjour (tout comme le triclinium) présente des murs peints en «quatrième style» (voir n° 10) plus beaux et mieux conserves. Au dessus de la plinthe, au centre des panneaux divisés en plusieurs parties, dominent les tableaux mythologiques: Hercule étouffant les serpents, Penthée lacéré par les bacchantes, Dircée attachée au taureau. Généralement des copies de célèbres originaux grecs, les tableaux de cette maison comme d'autres ont pour objectif de constituer de véritables pinacothèques et s'insèrent dans une tentative, de la part des propriétaires, de magnifier l'image qu'ils souhaitent donner de leur maison et d'eux-mêmes comme hommes cultivés. C'est néanmoins dans les frises et les motifs secondaires que se manifeste, dans la plupart des cas, l'habileté picturale et l'inventivité des artisans.

Salon

Le salon qui s'ouvre sur le côté nord du péristyle est peut-être le plus connu de tous ceux de Pompéi, pour ses grands panneaux en «rouge pompéien» (peints à fresque avec du cinabre, comme on l'utilisait alors et pas seulement à Pompéi) et surtout pour la frise le long des parois. Celle-ci représente les jeux (tir à la cible, course de bige) et métier (parfumeur, orfèvres, lavandiers, etc.) exécutés par des petits amours et des *psychai*. La frise est d'inspiration hellénistique mais, en accord avec le goût romain, modelée sur la vie de chaque jour et rendue plus réaliste. On a mis en relation les scènes de la production et de la vente du vin avec l'activité des Vettii. Cette hypothèse pourrait être confortée par l'amphore représentée sur l'anneau sigillaire d'un des propriétaires.

Maison des Vettii, oecus décoré en quatrième style pompéien; salon, détail de la frise avec Amours au travail

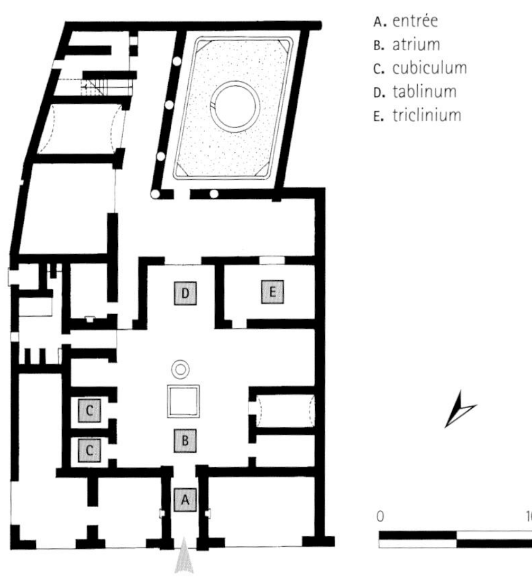

A. entrée
B. atrium
C. cubiculum
D. tablinum
E. triclinium

Maison de la Chasse Antique, le tablinum

VII, 4, 48
La maison, redécorée en «quatrième style» (voir n° 10) dans la seconde moitié du I siècle ap. J.-C., conserve en substance l'aménagement d'origine qui remonte à l'époque samnite.
Le schéma, typique, est celui de la maison «à atrium» (voir n° 17).
Située entre deux magasins, l'entrée, avec sa façade en blocs de tuf et chapiteaux cubiques, introduit dans l'atrium autour duquel sont disposées les chambres à coucher, le séjour, et au fond la salle à manger (*triclinium*) et le tablinum.
La décoration du second cubiculum à droite de l'atrium est assez bien conservée: des tableaux avec Léda possédée par Jupiter métamorphosé en cygne; Vénus pêchant; des médaillons avec les bustes de Jupiter, Diane, Apollon et Mercure.

Tablinum
Au-dessus de l'habituelle plinthe imitant un revêtement de plaques de marbre, les murs du tablinum, complètement ouvert sur l'atrium et sur le jardin postérieur, présentent une prédelle raffinée avec des paysages du Nil et des amours chasseurs. La partie médiane est subdivisée en panneaux bleus imitant des tentures gonflées par le vent. Les tableaux centraux ont été retirés.

32. maison de la chasse antique

Maison de la Chasse Antique, détail des fresques avec scènes de chasse

Jardin
La dénomination actuelle de la maison dérive de la scène peinte sur le mur du fond du jardin, hélas mal conservée, représentant une chasse aux fauves dans un paysage montagneux. Généralement employées dans les maisons de dimensions restreintes, ces scènes constituent également un rappel des grandes villas qui comprenaient des domaines de chasse.

Fresque avec distribution du pain dans la Maison VII, 3, 30 de Pompéi. Naples, Musée Archéologique National

Pistrinum, *les meules en pierre de lave*

VI, 2, 22
Elle communique avec la maison de *Popidius Priscus*, qui appartient à une des plus anciennes et importantes familles de Pompéi, et était peut-être gérée par un esclave affranchi de *Popidius*. Les éléments essentiels de cette boulangerie, comme d'autres (à Pompéi on en a identifié 34), sont les meules et le four à bois, qui est semblable à celui encore utilisé dans les pizzeria napolitaines.
Les meules en pierre de lave étaient constituées d'un bloc conique (*meta*), fixé sur une base en maçonnerie, et d'un bloc en forme de sablier (*catillus*) soutenu par une armature en bois. On y insérait une sangle à laquelle était attaché l'âne qui faisait tourner la meule. Le blé était déversé par le haut du *catillus* et broyé par le frottement des deux blocs. L'usage du pain se diffusa à partir du II siècle av. J.-C.

légende

- lieux d'importance majeure

[ ] numéro de l'audioguide

34. lupanar [39]
35. thermes de stabie [40]
36. forum triangulaire [41]
37. temple dorique [42]
38. grand théâtre [43]
39. portique des théâtres [44]
40. petit théâtre (odèion) [45]
41. temple d'esculape [46]
42. temple d'isis [47]
43. maison de ménandre [51]
44. maison des ceii [50]
45. fullonica de stephanus [52]
46. maison du laraire d'achille [53]
47. inscriptions électorales
48. thermopolium de vetutius placidus [67]
49. maison de iulius polybius [54]

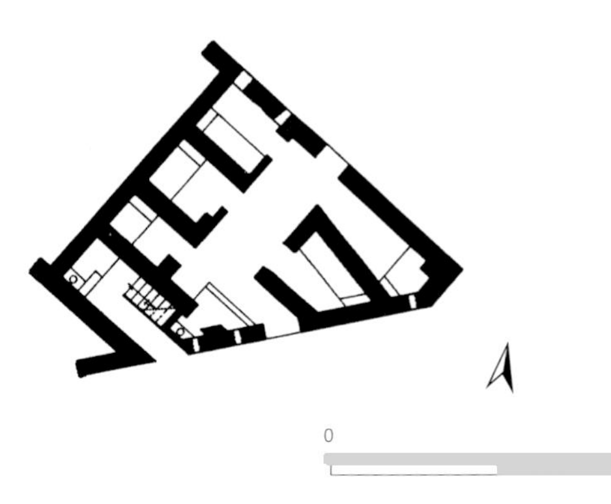

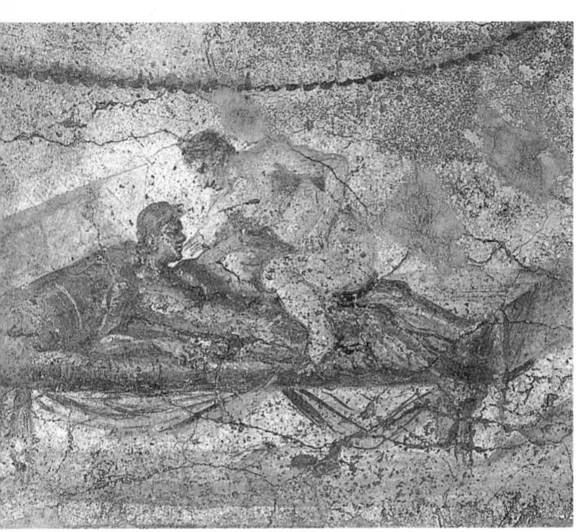

Lupanar, petits tableaux érotiques dans les cubiculi

VII, 12, 18

C'est le plus grand et le mieux organisé des quelques 25 lieux de prostitution (*lupa* en latin signifie prostituée) identifiés à Pompéi. Le rez-de-chaussée comporte cinq pièces de part et d'autre d'un couloir et, au fond, une petite latrine. L'étage supérieur, que l'on gagne par une entrée séparée et la passerelle suspendue qui sert de couloir, comporte cinq autres pièces. Les lits en maçonnerie étaient naturellement recouverts d'un matelas.

C'est le seul édifice qui a été construit dès son origine avec cette fonction particulière. Dans les autres cas, les lieux de prostitution étaient constitués d'une seule chambre ouverte sur la rue ou installés à l'étage supérieur d'une *caupona* (taverne).

Tableaux érotiques

Des petits tableaux érotiques peint dans un style populaire clair et simple ornent le *lupanare*. Rien n'autorise à croire, comme on le dit parfois, que chaque scène indique la «spécialité» pratiquée dans la chambre dans laquelle elle est peinte. Il existait, en revanche, des recueils de positions érotiques, d'origine grecque, dans lequels ont vraisemblablement été puisées ces représentations dont les clients pouvaient «s'inspirer».

Les prostitués étaient des esclaves, généralement d'origine grecque ou orientale, comme semblent l'attester les noms lus sur les inscriptions en graffiti que l'on rapporte à cette activité.

Le prix à payer était en moyenne modeste: de deux à huit axes (un axe était le prix d'une portion de vin courant). Le gain, qui allait entièrement au tenancier du bordel (*lenone*), a été taxé par l'empereur Caligula.

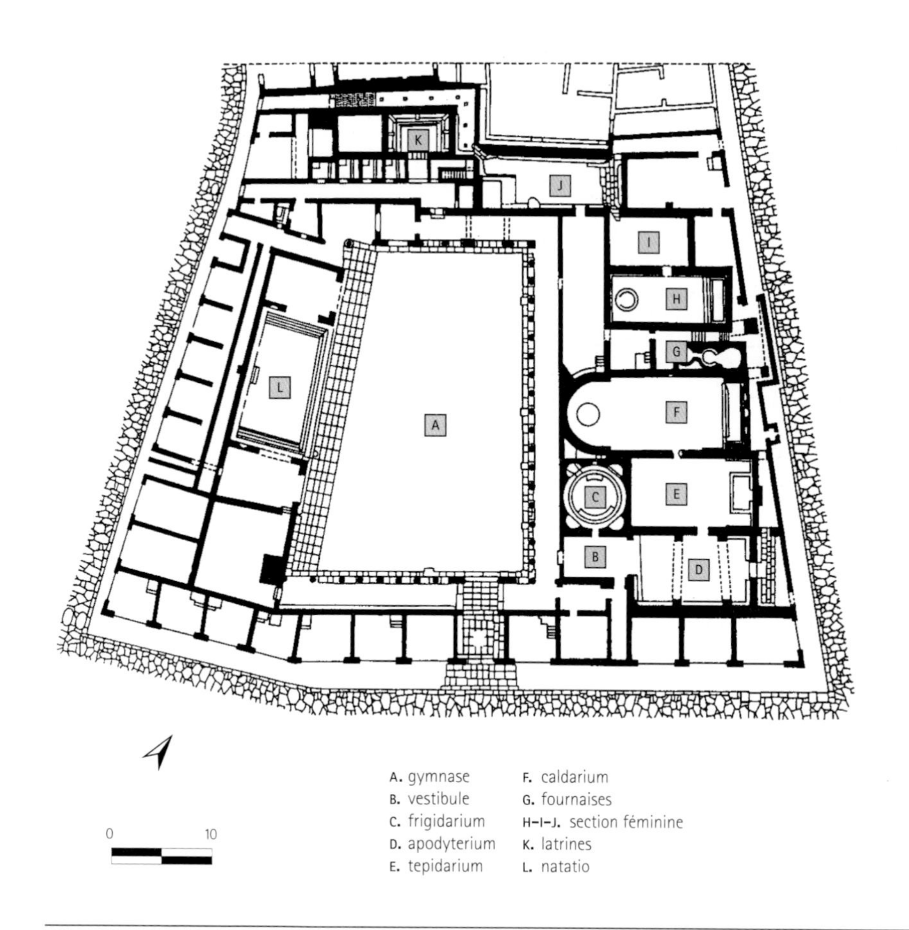

VII, 1, 8

L'ensemble de l'installation remonte au II siècle av. J.-C., avec des ajouts et des restaurations qui datent des premières années de la colonie (80-70 av. J.-C.). Divisées en une section masculine et une féminine, les pièces pour le bain, étaient alignées sur le côté oriental d'une palestre, entourée par un portique sur trois côtés, suivant un schéma commun à tous les thermes de cette période. Le vestibule, sur lequel s'ouvre la rotonde du *frigidarium* (salle avec vasque pour le bain froid), introduit au vaste *apodysterium* (vestiaire) d'où on passait au *tepidarium* (salle à température moyenne) et de là au *caldarium* (salle pour le bain chaud). La pièce des fournaises pour la production de l'eau chaude était située entre les *caldaria* des deux sections, afin de pouvoir mieux les réchauffer toutes les deux. Les autres grands thermes publics à Pompéi sont ceux «du Forum» (n° 14) et les Thermes «Centraux» qui étaient encore en construction en 79 ap. J.-C.

35. thermes de stabies

Thermes de Stabie, la palestre et son décor en stuc polychrome

Palestre

Comme l'indique une inscription trouvée dans les thermes, la grande cour et le portique furent reconstruits, à l'époque de Sylla, par les duovirs (voir n° 47) *Caius Julius* et *Publius Aninius*.

Utilisée comme palestre pour les exercices gymniques, La cour constitue peut-être le noyau du premier aménagement de l'édifice, remontant au IV-III siècle av. J.-C.: une palestre avec une rangée de petites pièces pour le bain sur le côté nord. Une grande latrine fut ajoutée sur ce même côté.

Sur le côté ouest se trouve une piscine pour les bains en plein air. Puisque seules les maisons les plus riches avaient des pièces pour le bain, les thermes publics, où le prix d'entrée était minimal, étaient sans doute très fréquentés. Ils étaient ouverts du matin jusqu'au soir; mais l'heure habituelle pour le bain était semble-t-il le début d'après-midi.

Une somptueuse décoration en stuc polychrome, qui se rapporte à la seconde moitié du I siècle ap. J.-C., orne le mur sur le côté sud-ouest de la palestre. Des figures d'athlètes et des figures mythologiques s'insèrent dans une composition du «quatrième style»: Jupiter trônant, avec le sceptre et l'aigle; un satyre qui offre à boire à Hercule, et autres.

La décoration en stuc (composé essentiellement de chaux et calcite) dérive du monde grec. Pendant la période républicaine le stuc était employé dans le «premier style» (voir n° 49), pour imiter des éléments architecturaux en marbre. Au cours du I siècle av. J.-C., on commença à l'employer également pour les motifs figuratifs. Dans la seconde moitié du I siècle ap. J.-C., les reliefs en stuc, rehaussés par la couleur, se répandent sur les voûtes comme sur les murs, imitant les compositions du «quatrième style».

Thermes de Stabie, vestiaire, plafond avec décoration en stuc

Thermes de Stabies, vestibule, détail du plafond avec décoration en stuc

Vestibule

Dans la pièce d'entrée, la riche décoration en stuc polychrome (il reste aujourd'hui peu de trace de la couleur) appliquée sur la voûte à l'époque des Flaviens, peut-être après les restaurations nécessaires suite au tremblement de terre de 62 ap. J.-C., est particulièrement digne d'intérêt. Elle s'articule en médaillons circulaires et polygones aux lignes convexes, unis par des éléments curvilignes, dans lequels sont représentés, toujours en relief, nymphes, éros, rosettes, etc. Le schéma compositionnel est analogue à celui de plusieurs pavements en mosaïque de la même période.

Vestiaire

Le vaste *apodyterium* comporte les niches habituelles, creusées dans les murs, dans lesquelles on déposait les vêtements et les effets personnels. Dans cette pièce également, la décoration de la voûte et des lunettes est en stuc à relief. Liée, à l'origine, à l'imitation des plafonds en bois «à caissons», la décoration en stuc des voûtes se libère progressivement de telles limites. Les schémas décoratifs se diversifient et les motifs figuratifs y acquièrent une importance accrue. Etant donné sa grande résistance à l'humidité, le stuc était souvent utilisé dans les pièces thermales. Dans la salle sont conservés les moulages de deux victimes de l'éruption (voir n° 51).

Pièces chauffées

Le *tepidarium* et le *caldarium*, qui se suivent, étaient encore en phase de restauration au moment de l'éruption (voir introduction). On voit clairement l'installation utilisée pour chauffer la pièce, introduit au début du I siècle av. J-C.
Le pavement était soutenu par des petits pilastres en briques (*suspensurae*), afin de ménager en-dessous un espace libre (*hypocaustum*) dans lequel était canalisé l'air chaud produit par les fournaises voisines (voir n° 35).
De l'hypocauste l'air chaud passait ensuite dans des tuyaux percés dans les murs, afin de remplir entièrement la pièce.

Thermes de Stabie, le frigidarium *et une salle chauffée avec pavement sur* suspensurae

Horloge solaire avec inscription en langue osque, de Pompéi. Naples, Musée Archéologique National

Frigidarium

La salle ronde (*frigidarium*), presque entièrement occupée par la vasque, était utilisée pour le bain froid. La décoration murale, qui a aujourd'hui en grande partie disparu, représentait des scènes de jardin; sur la coupole elle imitait un ciel étoilé. Cette pièce constitue un ajout de l'époque de Sylla (voir n° 35) et était destinée à l'origine aux bains de vapeur (*laconicum*). La chaleur était obtenue par un brasero placé au centre; les dimensions de l'ouverture circulaire dans la coupole pouvait être modifiées en abaissant ou en rehaussant, jusqu'à sa fermeture, un disque de bronze, afin de régler la température de la pièce.

Dénommée ainsi en raison de sa forme triangulaire, la place fait partie du projet d'urbanisme, dans l'ensemble unitaire, qui conduisit à l'aménagement de tout le quartier des théâtres au II siècle ap. J.-C. Il est situé à la limite méridionnale du banc rocheux sur lequel est construit Pompéi, en position dominante vers la mer et le fleuve Sarno. Un majestueux portail à colonnes ioniques introduit sur la place, entourée d'une colonnade dorique excepté sur le côté sud pour ne pas cacher le panorama. Le complexe entier, qui comprend la place, les théâtres et les temples (Temple «Dorique», d'Isis, de «Jupiter Meilichios»), se présente comme un centre culturel et religieux d'un caractère plus hellénistique qu'italique, et peut-être pour cette raison était aménagé à la périphérie de la ville.

36. forum triangulaire

Tholos

Un peu plus au sud du Temple «Dorique» (n° 37) on observe une gracieuse construction à plan circulaire, avec une colonnade dorique en tuf (*tholos*), vraisemblablement couverte d'un toit conique. La colonnade se dresse autour d'un puit creusé dans le banc de lave qui atteint la nappe phréatique (voir n° 29). L'inscription en langue osque gravée sur l'architrave en attribue la construction au magistrat samnite *Numerius Trebius*.

L'édifice fut construit dans la première moitié du VI siècle av. J.-C. et restructuré plusieurs fois, comme l'attestent les décorations architecturales qui y ont été retrouvées. Peut-être n'était il déjà plus utilisé à l'époque romaine. Les chapiteaux doriques appartiennent à la phase arcaïque. Le temple, de style dorique mais avec des éléments étrusques et italiques, devait avoir une cella profonde, entourée d'un portique à sept colonnes sur la face antérieure et onze sur les longs côtés. Le soubassement comporte des gradins sur tout le pourtour, mais en nombre inégal sur les différents côtés, pour compenser le dénivelé du banc rocheux sur lequel il est érigé. Il était dédié à la déesse Athéna (Minerve) et sans doute également à Hercule, dont le culte était largement répandu parmi les peuples italiques.

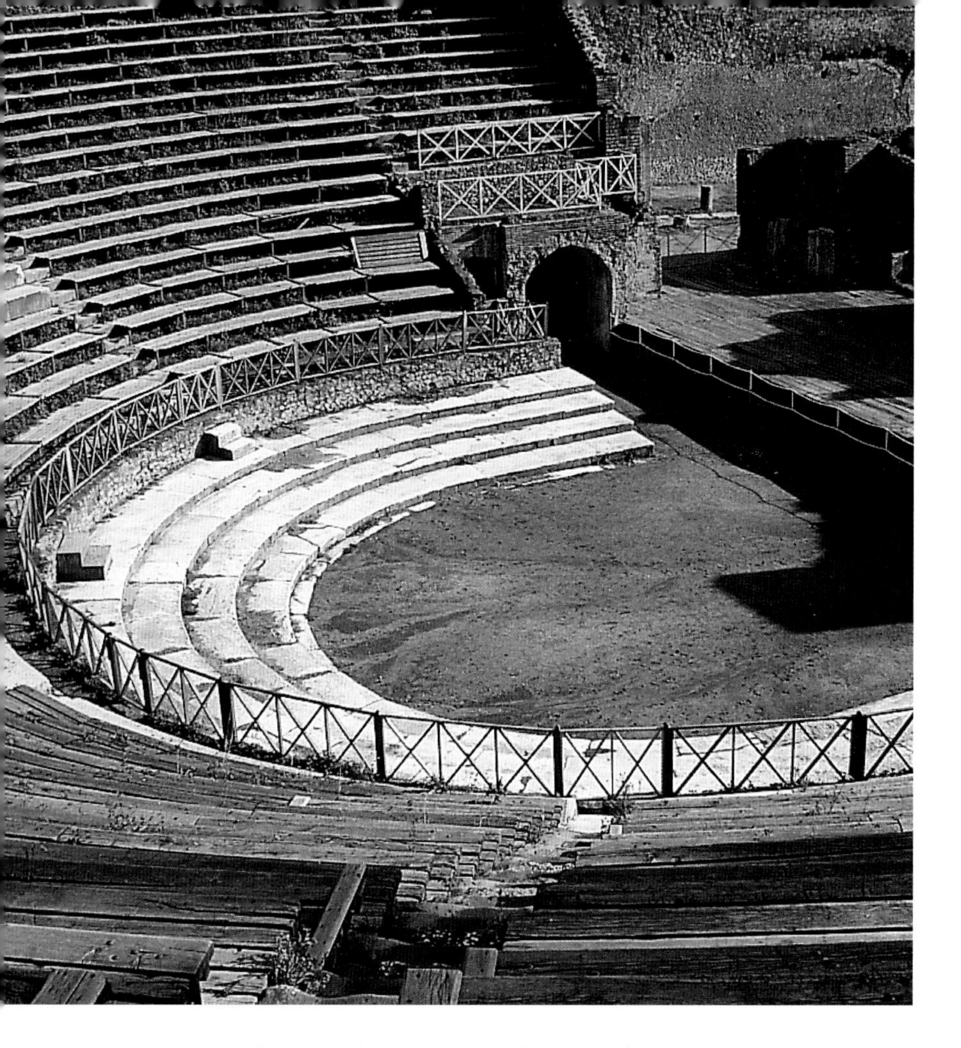

Il fut construit au II siècle av. J.-C., en exploitant pour l'aménagement des gradins (*cavea*) la pente naturelle de l'escarpement du banc rocheux sur lequel est construite la ville (voir introduction et n° 36). La *cavea* en fer à cheval, à l'origine séparée de la scène (comme dans les théâtres hellénistiques), est divisée en trois zones dont la zone inférieure (*ima cavea*), revêtue de plaques de marbre, était réservée aux décurions (voir n° 47) et aux citoyens méritants. Le couloir annulaire qui soutenait la *summa cavea* et les loges sur les couloirs d'accès au théâtre (*pàrodoi* à l'origine découvertes) sont des ajouts de l'époque d'Auguste. Avec de telles adjonctions, la capacité du théâtre atteignait les 5.000 places environ.

Intérieur

La scène et le frond de scène, en brique (voir n° 56), appartiennent aux restaurations successives au tremblement de terre de 62 ap. J.-C. et pas encore achevées au moment de l'éruption. La scène devait être revêtue de marbre et ornée de statues. Nous ne savons pas avec certitude quelles oeuvres y étaient représentées; probablement les comédies de Plaute et de Térence; certainement les *Atellanae*, farces populaires en langue osque similaires à la Commedia dell'Arte, et les *mimi* et *pantomimi*, ces derniers comportant de la danse et de la musique, très répandus.

Comme c'était l'usage dans les théâtres hellénistiques et comme le prescrivait Vitruve dans le *De Architectura*, le théâtre de Pompéi possède lui aussi un grand quadriportique, où les spectateurs pouvaient déambuler entre un spectacle et un autre ou s'abriter en cas de pluie: une sorte de *foyer*. Le portique avec sa colonnade dorique fut toutefois construit en un second temps, au début du I siècle av. J.-C., peut-être à la même époque que le «petit théâtre». Il était accessible directement de la rue de Stabies, constituant ainsi également une place et un lieu de rencontre pour les citoyens. Les pièces le long des murs extérieurs, sur deux niveaux, furent ajoutées après 62 ap. J.-C. Dans beaucoup d'entre elles furent retrouvées des armes de gladiateurs, ce qui laisse penser que, dans les dernières années, l'édifice était utilisé comme caserne de gladiateurs.

39. quadriportique des théâtres

Il fut construit dans les premières années de la colonie de Sylla et, comme le déclarent les inscriptions encore sur le site, c'était un théâtre couvert: le toit devait reposer sur les murs périmétraux qui délimitent la *cavea.*
Comme dans le «grand théâtre», l'*ima cavea* est présente, avec des gradins plus bas et plus larges pour y installer les sièges (*bisellia*) réservés aux décurions. La balustrade qui sépare l'*ima* et la *media cavea* est ornée de pattes de griffons ailées. Des *Telamoni* agenouillés sont sculptés sur les extrémités des murs qui délimitent la *cavea.* Le théâtre, auquel la couverture devait assurer une excellente acoustique, était utilisé pour des auditions musicales et la déclamation des poètes.

40. odéon

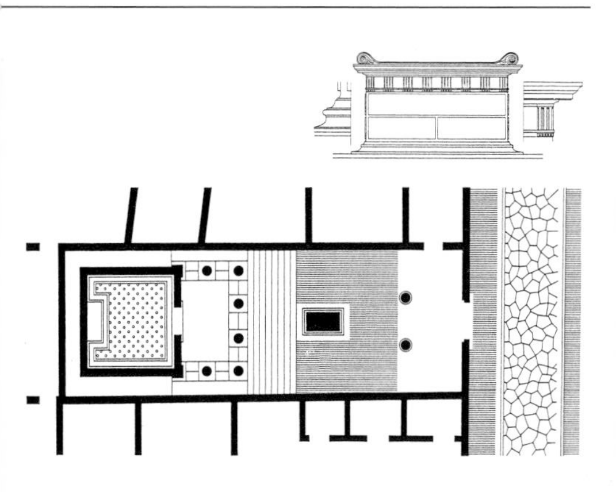

Le petit temple situé le long de la rue de Stabies, est entouré d'une enceinte en *opus incertum*, accessible par une porte pas du tout monumentale. Passé l'entrée on accède au portique soutenu par deux colonnes (dont il reste seulement les fondations et un chapiteau dorique), puis dans la cour. Au centre de la cour se dresse l'autel revêtu de plaques de tuf: il est décoré dans sa partie supérieure d'une frise dorique, à métopes et triglyphes, d'une corniche saillante et d'abaques ornés de volutes ioniques. Situé au fond de la cour, le temple est construit sur un haut podium entièrement caché par l'escalier d'accès. L'édifice est de type prostyle, c'est-à-dire avec quatre colonnes sur la façade et deux sur les côtés, qui précèdent la cella où se trouvaient les statues de culte.
L'établissement du temple et de l'autel datent du II siècle av. J.-C. et présentent des réfections postérieures: les murs de la cella, presque en *opus reticulatum*, remontent à l'époque de Sylla tandis que le portique d'entrée avec ses colonnes en brique fut restauré après le tremblement de terre de 62 ap. J.-C. (voir introduction).
L'attribution du temple au culte de Jupiter Meilichios («doux comme le miel») lié au monde de l'au-delà s'explique par une inscription découverte près de la Porte de Stabies et mise en relation avec l'édifice. Une hypothèse récente propose comme divinités titulaires du culte Esculape et Hygie, en association avec Minerve médecine sur la base de trois statues en terre cuite et d'autres objets retrouvés dans le temple.

Temple d'Esculape, l'autel sous le portique

Statuette en terre cuite d'Esculape (dit Jupiter Meilichios). De Pompéi, Temple d'Esculape. Naples, Musée Archéologique National

41. temple d'esculape (ou de jupiter meilichios)

Statue d'Isis, de Pompéi, Temple d'Isis. Naples, Musée Archéologique National

Réalisé vers la fin du II siècle av. J.-C. et gravement endommagé par le tremblement de terre de 62 ap. J.-C., il fut un des premiers édifices à être reconstruits, signe de la grande faveur dont jouissait le culte d'Isis (voir n° 30). La réfection fut l'oeuvre du liberti *N. Popidius Ampliatus* qui en attribue le mérite, comme dit l'inscription, à son fils de six ans *Popidius Celsinus*, afin de lui ouvrir la voie à une carrière politique: en effet, malgré son très jeune âge, Celsinus fut immédiatement admis dans l'ordre des décurions (voir n° 47). A l'intérieur du portique, sur lequel donnent différentes pièces destinées au culte et au service, se dressent des autels, un bassin entouré d'une enceinte contenant l'eau employée dans les cérémonies de purification, et le temple proprement dit, avec la cella sur un haut podium, la colonnade et l'escalier sur la face antérieure.

42. temple d'isis

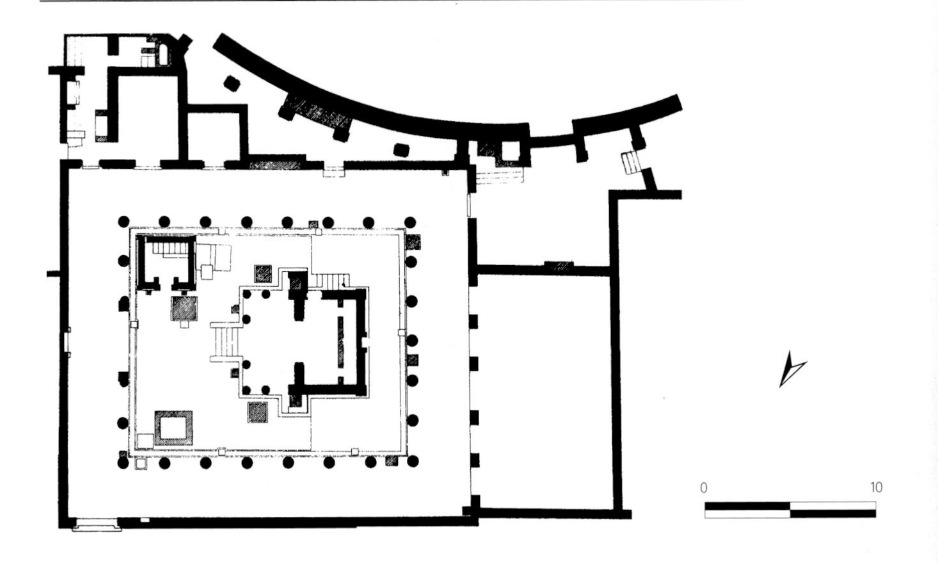

Intérieur

La composition architecturale mouvementée de ce petit sanctuaire était rendue encore plus exubérante par la riche décoration en stuc (en partie conservée) et par les fresques du «quatrième style» (détachées dans les années des fouilles, en 1764-1766, et actuellement au Musée Archéologique de Naples). Les niches sur les côtés de la grande cella, de même que les autels qui leur font face, devaient être réservés à Anubis et Arpocrate. Dans la niche à l'arrière de la cella se trouvait une statue de Bacchus.
La découverte du temple d'Isis eut une grande répercussion en Europe et contribua certainement à la diffusion de l'égyptomanie pendant cette période.

Fresques

La décoration peinte raffinée (aujourd'hui au Musée Archéologique de Naples) comprenait des natures mortes, des prêtres d'Isis, des batailles navales, des paysages égyptisants, des rinceaux peuplés de pygmées et d'animaux exotiques, des tableaux sur des thèmes de la mythologie gréco-égyptienne.

Fresque avec paysage égyptisant, de Pompéi. Naples, Musée Archéologique National

Renouvelé au III av. J.-C. à Alexandrie d'Egypte sous Ptolomée I par le mélange d'éléments grecs et égyptiens, le culte d'Isis et de Sérapis se diffusa en Italie au II siècle av. J.-C. (le temple de Sérapis de Pouzzoles est déjà construit en 105 av. J.-C.). En raison de son credo basé sur l'espoir en une vie future meilleure, il connut une large diffusion, principalement parmi les classes sociales inférieures.

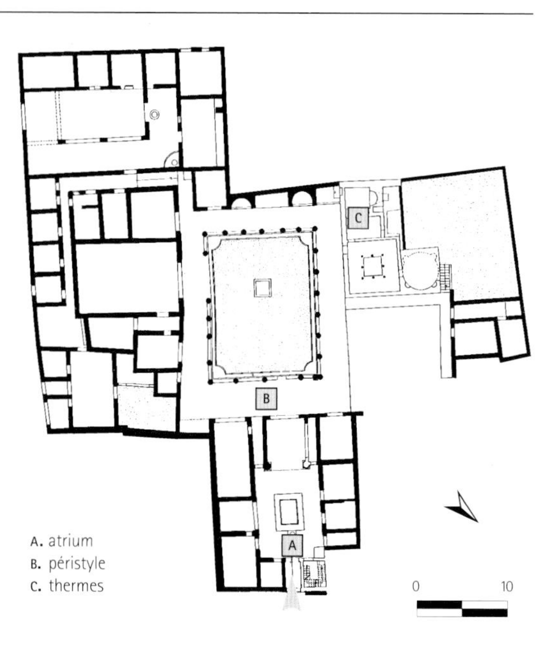

I, 10, 4

Avec ses quelques 1800 mètres carrés, elle figure parmi les plus grandes maisons de Pompéi et appartient certainement à une famille de la classe dirigente; probablement à celle des *Poppaei* apparentée avec Poppée la femme de Néron. Construite vers la fin du III siècle av. J.-C., elle parvint à son aspect actuel au cours de différents changements et agrandissements (au détriment des habitations voisines) entre le II siècle av. J.-C. et le I siècle ap. J.-C., conservant, en substance, le schéma de la maison «à atrium» (voir n° 16 et 17). Le centre de l'habitation se déplaça, néanmoins, vers le jardin avec péristyle, autour duquel se trouvent les pièces de représentation, la zone thermale et les couloirs qui conduisent au secteur de service.

Maison de Ménandre, atrium

43. maison de ménandre

Atrium

Dans l'atrium s'impose le grand laraire. Réalisés avec différentes techniques – une simple petite niche, peinte sur un mur (voir n° 31 et 49), un temple en maçonnerie, comme dans ce cas – les laraires constituaient le centre de la religion domestique. On y vénérait, peints ou sous la forme de statuettes de bronze, les *Lares*, protecteurs de la famille et de la maison, et le *Genius*, esprit vivant du chef de famille. A ceux-ci s'ajoutaient souvent des divinités du panthéon romain, telles que Mercure, Bacchus, Vénus, Minerve, Hercule et, comme dans la maison «des amours dorés», la Triade Capitoline: Jupiter, Junon et Minerve. Les divinités étrangères ne manquaient pas non plus, en particulier les divinités égyptiennes (voir ° 30).

Maison de Ménandre, fresque avec scène mythologique et mosaïque avec paysage du Nil

Tableaux mythologiques

La pièce, d'identification incertaine, est décorée, comme toute la zone de l'atrium, en «quatrième style» (voir n° 10). Elle est caractérisée par ses trois petits tableaux, tous relatifs à la phase finale de la guerre de Troie.
De droite à gauche: Laocoon et ses fils tués par les serpents pour avoir tenté d'empêcher que le cheval de bois construit par les Grecs fût accepté dans la ville; Cassandre tente de s'opposer à l'entrée du cheval (dans lequel se cachent les guerriers grecs) dans Troie; après la prise de Troie par les Grecs, Ménélas attrappe par les cheveux son épouse adultère, Hélène, et Ulysse arrache à Cassandre le simulacre de Minerve.

Mosaïque

Le pavement de cette pièce est caractérisé par l'*emblema* centrale en mosaïque représentant un paysage du Nil: une barque conduite par un pygmée parcourt le Nil, bordé de villas et d'arbres. Ces tableaux polychromes, souvent travaillés dans l'atelier et placés ensuite sur le pavement, sont exécutés avec de minuscules tesselles sur un support constitué d'une tuile ou d'une pierre. La petite taille des tesselles consent une richesse de détails et de nuances de couleurs semblables à celles d'une peinture. Ces tableaux sont typiques de la période hellénistique, celle du premier et du second styles. Ils tendent à disparaître lorsque, avec le troisième et le quatrième styles (voirn° 49), le tableau devient un élément essentiel de la décoration murale.

Maison de Ménandre, péristyle, fresque avec l'auteur grec Ménandre

Péristyle

La maison doit son nom à l'auteur comique grec Ménandre qui est représenté à droite, dans la niche rectangulaire sur la paroi du fond du péristyle. Sur les autres parois, les peintures, mal conservées, devaient représenter, à gauche, l'auteur tragique Euripide et, au centre, deux tables avec des masques de la tragédie et de la comédie.

A l'extrémité droite du mur se trouve un second lieu de culte domestique, dans lequel, suivant la tradition, étaient exposées et vénérées les *imagines maiorum*: des bustes des ancêtres en bois ou en cire, dont on a pu réaliser les moulages.

Maison de Ménandre, calidarium, *mosaïque avec animaux marins*

Coupes en argent repoussé, pièces du trésor d'argenterie retrouvé dans la Maison de Ménandre. Naples, Musée Archéologique National

Zone thermale

Comme les autres parties de la maison, la zone thermale était en restructuration en 79 ap. J.-C. Elle s'organisait en une cour tétrastyle, un vestiaire et un caldarium dont le charmant pavement en mosaïque représentent des animaux marins et figures nègres. La mosaïque de l'entrée représente un domestique portant des récipients avec les onguents pour le bain.

Maison des Ceii, fresque avec paysage sur le mur du jardin

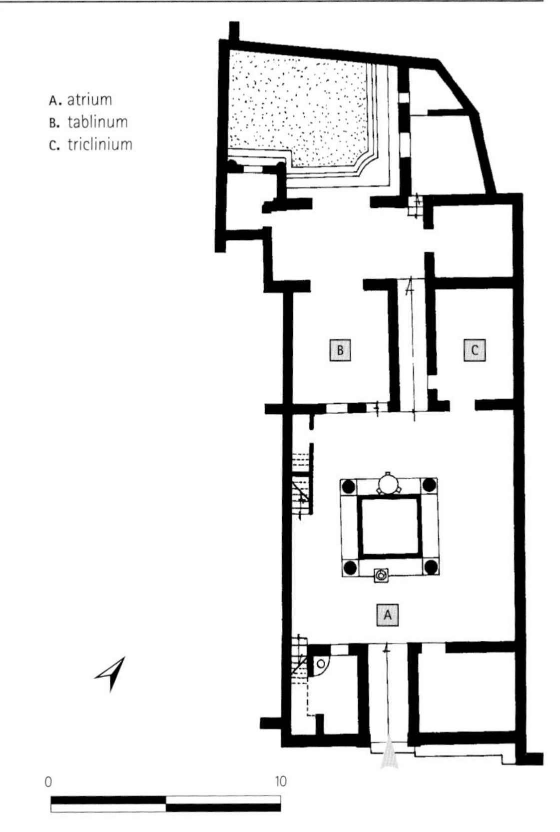

Une hypothèse l'a attribuée à *L. Ceius Secundus*, sur la base d'une inscription électorale peinte sur la façade, qui présente encore la décoration en stuc du «premier style» (voir n° 49). Le plan très simple est centré sur l'atrium autour duquel s'ouvrent, de part et d'autre de l'entrée, un cubiculum et une cuisine; à côté de celle-ci un escalier mène à l'étage supérieur longeant la façade; dans le fond, le triclinium et le tablinum encadrent un couloir qui conduit à la partie postérieure de la maison, dominée par le jardin.
Un escalier en *opus craticium* (appareil de ciment dans une armature de bois) devait conduire à un autre étage supérieur au-dessus du tablinum, en cours de réalisation.

Atrium

L'atrium et les pièces qui l'entourent sont décorés en «troisième style» tardif (voir n° 49), avec un pavement constitué de lave pilée liée à du sable et de la chaux («lavapesta») et en «cocciopesto» (mortier obtenu par le mélange de chaux et de terre cuite pilée) orné de tesselles (*opus signinum*).
Celui du tablinum est particulièrement riche: un «cocciopesto» décoré de motifs géométriques en tesselles blanches, dans lesquels sont insérés des carreaux de marbre polychromes. Au centre est placée l'*emblema* en *opus sectile* (très à la mode à partir du milieu du I siècle ap. J.-C.) entouré d'une corniche en mosaïque représentant un rinceau végétal et une tresse, motifs répandus pendant la période des troisième et quatrième styles (début de la période impériale).

Jardin

Le petit jardin est agrandi de manière illusionniste par la grande scène de chasse aux animaux sauvages peinte sur le mur du fond, à laquelle répondent les idylliques paysages égyptisants sur les murs latéraux.
Ces grandioses scènes de chasse et de paysages, qui se répandirent pendant les dernières années de Pompéi, tendent à évoquer, dans l'espace clos d'habitations souvent petites, les scénographies des grandes villas patriciennes hors de la ville et les paysages de terres exotiques lointaines, comme pour s'évader de la dure réalité quotidienne (voir également n° 32).

Maison des Ceii, atrium et fresque avec scène de chasse sur les murs du jardin

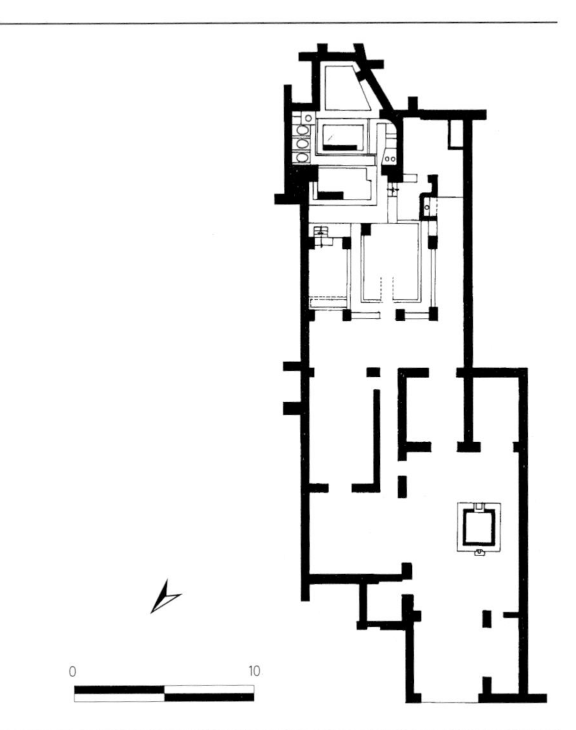

Pilier des fullones avec teinturiers au travail, de Pompéi, Fullonica de Veranius Ipseus. Naples, Musée Archéologique National

Fullonica de Stephanus, vasques de lavage

I, 6, 7

C'est une des quatre grandes blanchisseries (les *fullones* étaient les blanchisseurs) sur un total de dix-huit attestées à Pompéi. Elle fut aménagée en restructurant complètement une maison préexistante, dans laquelle le rez-de-chaussée fut réservé à l'activité professionnelle et l'étage supérieur à l'habitation. Nous ne savons pas si le Stephanus mentionné dans une inscription électorale découverte sur la façade était le propriétaire ou le gérant de la blanchisserie. La presse pour le repassage des vêtements était installée dans l'espace de l'entrée.

Bassins de lavage

Dans la précédente maison, comme habituellement, le toit de l'atrium devait être incliné vers l'ouverture centrale (compluvium) afin de recueillir l'eau de pluie dans la vasque située en-dessous (impluvium). La restructuration de la maison en fullonica comporta la transformation de l'impluvium en bassin pour laver ou rincer, peut-être les vêtements les plus délicats, et la modification de la toiture en un toit plat, afin de disposer d'une terrasse pour les faire sécher.
Les murs présentent une décoration sommaire d'enduit peint en «quatrième style» (voir n° 10).
Dans le fond de l'édifice, derrière le petit péristyle, à droite, se trouvait la cuisine, qui devait servir également pour les repas des ouvriers; à gauche, l'ensemble des bassins pour le lavage et le rinçage. Le lavage était effectué dans les petits bassins ovals, où les *fullones* écrasaient les vêtements dans un mélange dégraissant d'eau et de soude (le savon n'était pas encore connu) ou d'urine. Le rinçage avait lieu dans les trois grands bassins, disposés sur des niveaux décroissants et communiquants entre eux par des trous pratiqués dans la maçonnerie.

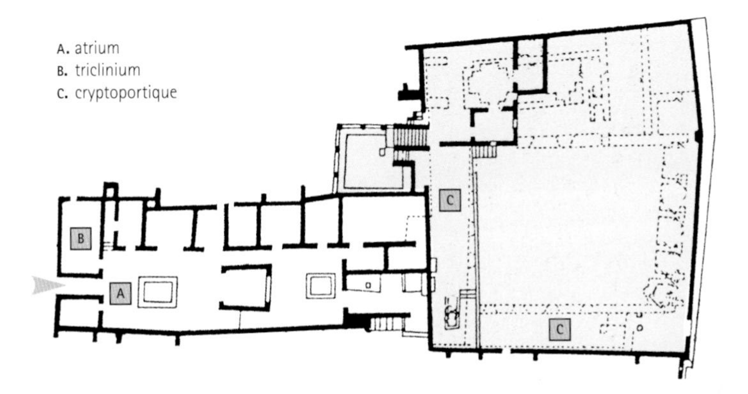

I, 6, 4

La façade en *opus quadratum* de blocs de calcaire du Sarno indique l'ancienneté de la maison. Au moment de l'éruption en 79 ap. J.-C. les travaux de restructuration commencés après le tremblement de terre de 62 ap. J.-C. (voir introduction), qui visaient la séparation du cryptoportique et des pièces à droite de l'atrium et du tablinum où l'on installa la *fullonica* de *Stephanus* (n° 45), étaient encore en cours. La peinture en IV style avec des petits tableaux figuratifs de sujet mythologique et de nature morte avait été réalisée en partie seulement, mais la maison était encore habitée, comme le prouvent les armoires dans l'atrium et les ustentiles retrouvés. L'atrium constitue le noyau de la maison (voir n° 17) autour duquel se répartissent les différentes pièces dont les *cubicula* et, à gauche de l'entrée, le triclinium. Du jardin on accède à la «Salle des éléphants» et au cubiculum contigu qui conserve encore la décoration originelle du II style (voir n° 27). Un seuil décoré de sarments indique la séparation du salon en deux parties et divise la mosaïque qui présente un motif à caissons avec étoiles et rombes dans la partie antérieure et un décor de tapis blanc à bord noir dans la partie postérieure. La division est répétée sur les murs de la pièce: d'un côté la mégalographie d'un philosophe ou poète assis devant un globe, de l'autre deux éléphants tournés vers un chandelier. Le *cubiculum* contigu est décoré d'une incrustation de marbre avec des bordures à motif floral et listels en oves.

46. maison du laraire d'achille (ou du sacellum iliaque)

Sacellum iliaque
Le laraire d'Achille prend son nom de la frise illustrant les derniers épisodes de la guerre de Troie, avec des figures partiellement en relief et partiellement peintes sur fond bleu. Le récit commence avec Priam, Hécube et Astianax qui appellent Hector du haut de la porte de Troie (mur de gauche); Héra et Aphrodite assistent au duel entre Hector et Achille (mur du fond); Achille ammène sur un char le cadavre d'Hector devant les portes de Troie (mur de droite); un esclave apporte à Achille un des vases offerts par Priam pour le rachat; enfin, Priam transporte le corps d'Hector sur son char.

IX, 11
Les inscriptions peintes sur les murs le long des rues concernent la propagande électorale et sont une invitation à élire un candidat pour une certaine fonction, pendant les élections qui avaient lieu, chaque année, au printemps. Une inscription type est par esemple HOLCONIUM PRISCUM IIVIR(um) I(ure) D(icundo) D(ignum) R(ei) P(ublicae) O(ro) V(os) F(aciatis): «Je vous demande d'élire Olconius Priscus, homme digne de la République, comme Duovir Iure Dicundus». La ville était gouvernée par le collège des *Decurioni* (80-100 membres) présidé par deux *Duoviri* qui détenaient, outre le pouvoir politique, également le pouvoir judiciaire. De moindre importance, la fonction assurée par les deux *Edili* (des sorte d'assesseurs), constituait le premier pas dans la carrière politique. Tous les citoyens libres de naissance et de conduite irréprochable pouvaient être élus à condition d'avoir un revenu suffisamment élevé: ils devaient en effet consacrer des sommes importantes aux entreprises publiques et aux spectacles de gladiateurs.

I, 8, 8

Ces magasins qui, comme leur nom l'indique, servaient des plats et boissons chaudes (presque comme un *snack-bar* moderne), étaient très nombreux en raison de l'habitude répandue de déjeuner (*prandium*) hors de la maison. Dans leur structure la plus simple, ils sont constitués d'une salle largement ouverte sur la rue, en partie occupée par le bar en maçonnerie dans lequel sont encastrés les *dolia* destinées à contenir les denrées. Ils comportent parfois une ou plusieurs salles à l'arrière, où l'on pouvait consommer assis plutôt que debout au bar. Ce thermopolium a été attribué à *Vetutius Placidus*, identifié comme le propriétaire de la maison voisine également, sur la base d'inscriptions peintes sur la façade. Dans le laraire peint sur le mur du fond – à côté des Lares, du Génie sacrifiant et des serpents *agathodemone* (voir n° 49) – sont présents Mercure, dieu du commerce et du gain, et Dionysos, dieu du vin.

48. maison thermopolium de vetutius placidus

Maison de Iulius Polybius, décor mural dans le vestibule avec porte en trompe-l'oeil

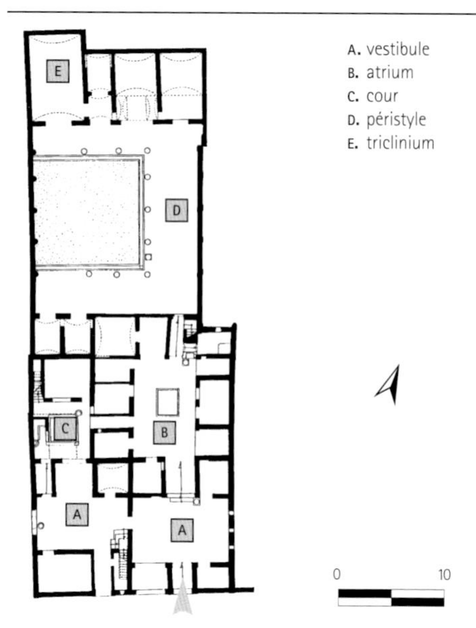

Dans l'austère façade samnite s'ouvrent les deux entrées de cette vaste maison propriété de l'édile et candidat au duovirat (voir n° 47) Caius Iulius Polybius.
Bien qu'étant une maison «à atrium», elle présente un plan atypique: aucune des deux entrées (une introduit dans la partie domestique, l'autre – au n° 3 de la rue – à la partie résidentielle) n'aboutit à l'atrium avec impluvium, comme le veut la norme. Elles introduisent en revanche dans de grandes pièces dotées de toits sans ouverture, que l'on a interprété comme des *atri testudinati* (un type d'atrium entièrement couvert) ou comme de simples vestibules.
L'atrium traditionnel (toit avec ouverture centrale – *compluvium* – qui conduit l'eau de pluie dans le bassin situé en-dessous – *impluvium*) se trouve dans la partie résidentielle, en troisième position seulement après le vestibule. De cet atrium on passe, sur la gauche, au quartier domestique avec la cuisine; au fond, à la zone résidentielle du péristyle.

Vestibule

Le vestibule conserve une partie de sa décoration en «premier style». Les enduits des parois peintes d'époque hellénistique et romaine furent étudiés pour la première fois à Pompéi et furent classés en quatre «styles», parfois appelés pompéiens mais qui étaient en réalité répandus dans tout le monde romain (voir n° 10, 22, 27). En usage également en Grèce pendant l'époque hellénistique au début du I siècle av. J.-C., le «premier style» tend à imiter par des compartiments en relief, parfois peints, une structure en blocs de marbre (et pour cette raison est appelé également «style structurel») ou un revêtement du mur en plaques de marbre. Le motif de la fausse porte peinte, typique du «second style», fut ajouté dans cette pièce dans un second temps, pour masquer la fermeture d'une porte qui existait auparavant. Les amphores contenant de la chaux attestent qu'au moment de l'éruption des travaux étaient encore en cours dans la maison.

Maison de Iulius Polybius, laraire et zone des services

Cuisine et laraire

Le grand tableau à côté de la cuisine représente un *larario*: le lieu où l'on vénérait les Lares, divinités domestiques protectrices de la maison et de la famille. Ceux-ci sont représentés en haut, de part et d'autre de la scène. Dans le bas est peint le serpent *agathodemone*, protecteur du foyer propice à la fertilité, enroulé autour de l'autel sur lequel le maître de maison, représenté avec les traits du *Genius* (protecteur du chef de famille), est en train avec son épouse d'effectuer un sacrifice. Un jeune homme portant des offrandes et un joueur de flûte participent au sacrifice. Des graffiti rappellent *Caius Iulius Filippus*, le don de gemmes par

Poppée (le femme de Néron) à la Vénus de Pompéi et la visite de Néron lui-même au temple de Vénus. Exécutées simplement et hors des principes de la décoration murale («styles»), les scènes de laraires constituent les manifestations de peinture populaire les plus nombreuses.

Quartier de service

La petite cour de service, sur laquelle donnent différentes pièces à l'étage supérieur (peut-être les logements des esclaves) est caractérisée par la minuscule cuisine, dont on a récupéré et reconstruit tous les éléments de la toiture y compris la cheminée. Sur le plan de travail, où l'on allumait le feu, on a retrouvé les casseroles employées quotidiennement, un trépieds en fer et une grille.

Péristyle
Dans le péristyle on a identifié au cours des fouilles plusieurs armoires en bois dont on a pu réaliser les moulages en plâtre, où sont visibles les éléments originaux en os (charnières) et en bronze: on les avait peut-être mises là pour libérer les pièces en travaux (voir n° 53). Dans une des ces armoires, on a retrouvé un anneau sigillaire en bronze dont l'inscription C. IULI PHILIPPI atteste la présence dans la maison d'un Caius Iulius Philippus, parent habitant avec Polybius. Au fond du péristyle qui encadrait un jardin planté d'arbres fruitiers, s'ouvrent les pièces de représentation et de repos et une grande salle à manger (*triclinium*). On a exécuté les moulages de plusieurs des portes de ces pièces.

Maison de Iulius Polybius, décor mural en troisième style

Maison de Iulius Polybius, triclinium, fresque avec le mythe de Dircé

Fresque en III style

La pièce centrale avec son pavement en «cocciopesto» (mortier obtenu par le mélange de chaux et de terre cuite pilée) décoré de motifs géométriques en tesselles blanches, présente une belle décoration murale en «troisième style» tardif sur fond blanc. Dans les décorations du «troisième style», en usage environ entre 25-20 av. J.-C. et 45-50 ap. J.-C., la paroi devint une surface divisée verticalement (plinthe, partie médiane, partie supérieure) et horizontalement en vastes panneaux de couleur unie, délimités par de fins éléments architecturaux, végétaux ou simplement linéaires, qui encadrent des motifs décoratifs. Le panneau central dans lequel s'impose le tableau à sujet mythologique (dans ce cas, Apollon et Daphné, Hermaphrodite et Eros) prédomine. Contrairement au «second style» (voir n° 27), les surfaces des parois, constituent des plans fermés, sans débouchés perspectifs, où les éléments architecturaux sont schématiques, linéaires, privés de toute référence à la réalité.

Triclinium

Le tableau dans le grand triclinium (salle à manger) représente le mythe de Dircé, tuée par Amphion et Zéto attachée à un taureau excité, en punition des mauvais traitements qu'elle avait infligés à leur mère Antiope. Comme habituellement dans les tableaux mythologiques du «troisième style» initial et moyen, le tableau est de grandes dimensions surtout en hauteur, et les figures sont insérées dans un paysage aéré. Une autre caractéristique est que dans le même tableau sont représentés deux épisodes du même mythe: le moment de la capture de Dircé et celui où elle est attachée au taureau se suivent de droite à gauche comme dans une bande dessinée. Dans cette pièce dont la décoration n'était pas encore terminée on a retrouvé un nombre considérable d'objets en bronze de grand prestige, ammassés en raison des travaux: en particulier de la vaisselle (avec un splendide cratère à figures en relief) et une statue d'Apollon portant un vase dans ses bras.

légende

- ▲ entrée/sortie
- ■ guichet
- ■ toilettes
- ● lieux d'importance majeure
- [ ] numéro de l'audioguide

50. maison du bateau europe [55]
51. jardin des fuyards [56]
52. maison du jardin d'hercule [57]
53. maison de octavius quartio [58]
54. maison de la vénus dans sa coquille [59]
55. amphithéâtre [60]
56. grande palestre [61]
57. nécropole de la porte de nocera [62]
58. porte de nocera et mur d'enceinte [62]
59. nécropole de la porte de nola [65]

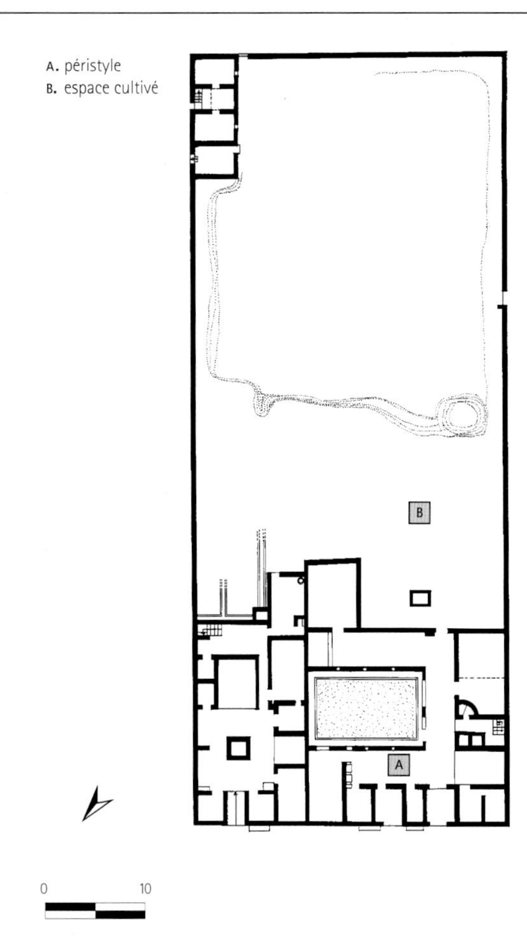

L'habitation présente un plan peu courant dans lequel des pièces comme l'atrium (juste après l'entrée) et le tablinum (pièce de représentation), typiques des maisons de la classe dirigente (voir n° 17), sont absentes.
Les pièces s'organisent toutes autour d'un péristyle auquel on accède dès l'entrée et qui constitue le vrai noyau de la maison.
Du péristyle on passe à un grand espace qui occupe tout le reste de l'*insula* et, d'après ce que nous ont appris les analyses paléobotaniques, était cultivé comme un potager et une vigne.

Maison du Bateau Europe, péristyle et graffiti avec le bateau Europe sur le mur nord

Péristyle

L'habitation a été fouillée dans les années cinquante. Une étude récente, conduite à l'occasion de grandes restaurations effectuées dans cette partie de Pompéi, a permis d'obtenir tous les éléments nécessaires à la reconstitution de la partie supérieure et de la toiture de la maison. Ces dernières ont donc été reconstruites comme elles devaient l'avoir été dans l'antiquité, avec la technique et les matériaux en usage à l'époque romaine: poutres maîtresses et poutrelles en bois, couverture de tuiles.

Graffiti

De nombreuses maisons de Pompéi dont on ignore le propriétaire doivent leur nom actuel à des circonstances fortuites, comme un objet, une fresque, une mosaïque d'une importance particulière qui y ont été retrouvés, ou à un anniversaire fêté l'année pendant laquelle la maison a été fouillée ou encore à la visite d'un personnage illustre. Cette habitation est ainsi nommée en référence au dessin tracé sur l'enduit du mur nord du péristyle, qui représente un bateau de marchandise portant sur la carène le nom EUROPA, peut-être en référence à l'héroine grecque du même nom, aimée par Zeus et mère du mythique roi de Crète Minos.

50. maison du bateau europe

Jardins des Fuyards, moules en plâtre de corps humains

I, 21
Le vaste espace planté de vigne qui occupe l'*insula* entière (voir n° 7) est dénommé ainsi en raison des moulages des victimes de l'éruption qui ensevelit Pompéi en 79 ap. J.-C. (voir introduction) placés près du lieu où ils furent retrouvés: un groupe de fuyards terrassés par la violence de l'éruption alors qu'ils tentaient de s'échapper. Utilisée encore actuellement avec d'infimes variations, la méthode des moulages a été introduite à Pompéi par Giuseppe Fiorelli qui dirigea les fouilles de 1860 à 1875. Elle consiste à verser du plâtre liquide (qui durcit en un ou deux jours) dans la cavité laissée par les cendres du corps de la victime dans le banc de lave. La cendre volcanique, en effet, de par sa composition et la haute température, devient rapidement très compacte et conserve intact comme un moule le vide laissé par la décomposition progressive des corps. Dans la vigne se trouve également un triclinium avec des lits en maçonnerie pour les repas en plein-air.

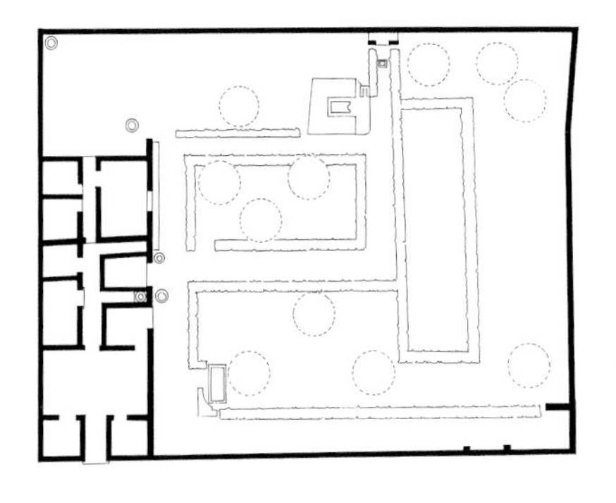

II, 8, 6

Dans sa forme initiale (le grand jardin fut annexé successivement) elle appartient à un type d'habitation modeste, appelée «maison en rang», très répandue dans les *regioni* I et II.

Construites au cours du III siècle av. J.-C. ces maisons sont caractérisées par une cour transversale, peut-être découverte à l'origine, qui occupe toute la largeur de l'édifice et fait office d'atrium.

On y accède par une entrée flanquée de deux chambres à coucher (*cubicola*) et de pièces à l'étage supérieur.

Un couloir, en axe avec l'entrée et flanqué d'autres pièces (tablinum, triclinium et autres), conduit à l'*hortus* au fond de la maison. La toiture de l'atrium et l'étage supérieur furent, selon certains, ajoutés dans un second temps.

Jardin

Le grand espace vert fut réalisé vers le milieu du I siècle av. J.-C., en éliminant cinq maisons du type «en rang» datant de la même période que celle-ci. La disposition et le type de plantes ont été réintroduits comme ils l'étaient dans l'antiquité, sur la base des analyses paléobotaniques. Il s'agit en grande partie d'essences adaptées à la production de parfums ce qui permet de supposer que le propriétaire était un parfumeur. Au centre du mur oriental du jardin, près du triclinium en maçonnerie pour les repas en plein-air, se trouvent un autel et un édicule dédié au culte d'Hercule dont on a retrouvé une statue en marbre qui a donné son nom à la maison.

52. maison du jardin d'hercule

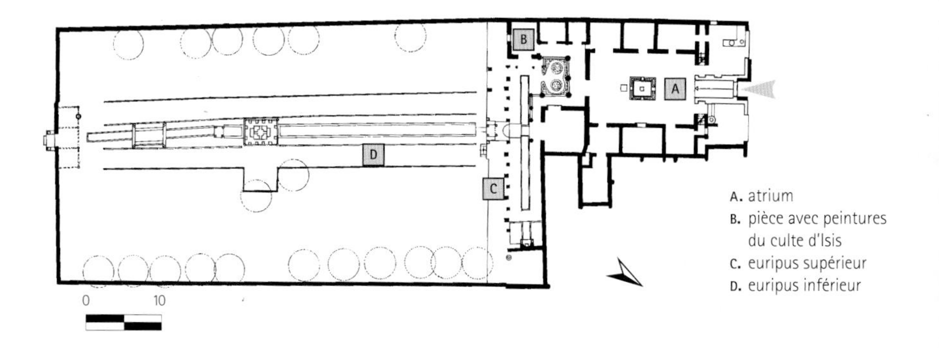

A. atrium
B. pièce avec peintures du culte d'Isis
C. euripus supérieur
D. euripus inférieur

II, 2, 2
La maison appartenait en réalité à *Octavius Quartio*, comme l'atteste l'anneau sigillaire retrouvé dans la pièce à droite de l'entrée.
La zone d'entrée conserve en partie l'aménagement originel de l'habitation qui remonte au II siècle av. J.-C. avec le schéma typique d'une maison «à atrium», propre à la classe dirigente (voir n° 17).
L'atrium était à l'origine le lieu central et fondamental de la maison: toutes les pièces et pas seulement les *cubicola* (chambres à coucher) mais également les pièces de représentation comme le *triclinium* (salle à manger) et, face à l'entrée, le *tablinum* (où le maître de maison recevait ses *clientes*) donnaient sur l'atrium. La partie qui suit l'atrium fut en revanche restructurée après 62 ap. J.-C. avec la supression du tablinum qui dégagea un vaste espace pour le jardin, selon la mode de l'époque qui tendait à recréer à la ville l'image des habitations suburbaines perdues dans la nature et égayées par les miroirs d'eau.

Prêtre d'Isis
Le motif qui permet de considérer cette pièce décorée de peintures du IV style (voir n° 10) à fond blanc comme un lieu de culte à Isis est cette figure présentant les caractéristiques d'un prêtre de la déesse égyptienne: chauve et vêtu de lin, il tient dans sa main droite le sistre, instrument de musique rituel typique du culte de cette déesse. D'autres objets retrouvés dans la maison font également référence à Isis.
A partir du II siècle av. J.-C., le culte d'Isis connut une grande faveur à Pompéi comme plus généralement en Campanie et en Italie (voir n° 30 et 42).

Maison de Octavius Quartio ou de «Loreio Tiburtino», détail d'une fresque avec un prêtre d'Isis

Maison de Octavius Quartio ou de «Loreio Tiburtino» (II, 2, 2), niche et fresques dans l'euripus supérieur et détail d'une fresque avec Actéon

Scène mythologique

La peinture sur le mur extérieur de la pièce que l'on considère comme un lieu de culte voué à Isis-Diane représente le mythe de Diane et Actéon. La déesse de la chasse, surprise nue alors qu'elle se baignait par le jeune chasseur Actéon, punit ce dernier en le transformant en cerf que ses propres chiens dévorèrent.

Euripus supérieur

Le long bassin (*euripus*) encadré par un portique et une pergola ombragée était décorée de nombreuses petites statues placées sur les rebords dont plusieurs (une sphinge et une tête de Jupiter Sérapis) font allusion à l'Egypte, patrie d'Isis. Un petit temple égayé d'une fontaine occupait le centre du long bras vers le jardin. L'*euripus* supérieur termine au fond par un double lit en maçonnerie destiné aux repas en plein-air derrière lequel s'ouvre une niche revêtue de pierre ponce afin de ressembler à une grotte: la grotte, lieu de culte des nymphes, l'*euripus*, les lits pour les repas en plein-air comme le grand jardin qu'ils dominent sont des éléments propres aux grandes villas suburbaines, regroupés ici dans l'espace restreint d'une maison de ville.
De part et d'autre de la grotte sont représentés deux mythes célèbres. A droite, Narcisse qui tomba amoureux de son propre reflet.
A gauche, Pyrame et Tisbé: croyant que sa bien-aimée Tisbé avait été dévorée par un lion, Pyrame se donna la mort; découvrant le corps inanimé de Pyrame, Tisbé se tua à son tour.

Jardin inférieur et euripus

Le grand jardin est traversé par un long canal divisé en trois bassin (selon certains des bassins pour les poissons). Il commence avec une autre grotte-nymphée, située sous le temple à quatre colonnes, ornée d'un masque du dieu Océan et d'une statuette d'Eros (aujourd'hui retirés). De part et d'autre du nymphée sont encore représentés Diane et Actéon. Des allées couvertes de pergolas, récemment reconstituées, longeaient l'*euripus*.

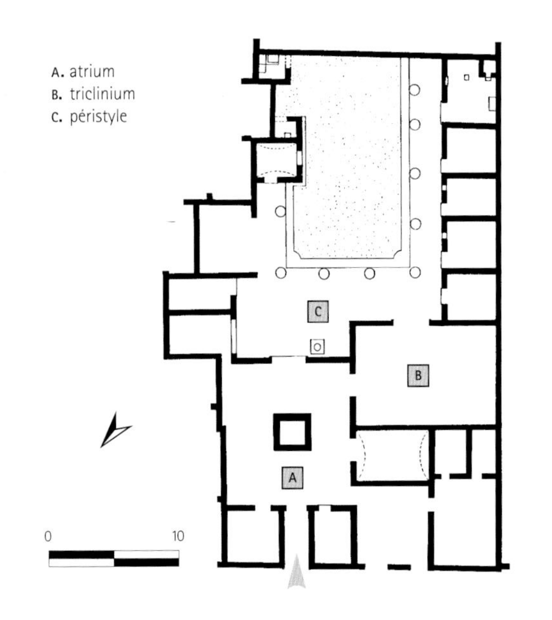

II, 3, 3
Cette habitation également semble dériver de la restructuration d'une maison «à atrium» préexistante avec l'élimination du tablinum remplacé par le péristyle selon une tendance répandue depuis le milieu de l'époque impériale.
Un grand espace est réservé au triclinium (salle à manger), ouvert à la fois sur l'atrium et sur le péristyle afin de pouvoir jouir de la vue du jardin. La zone de l'atrium a été endommagée par une des nombreuses bombes qui s'abattirent sur Pompéi en 1943.

Péristyle

L'espace du péristyle est le plus significatif et le plus suggestif de cette maison qui appartient à un type défini justement comme «maison-péristyle».
Outre la suggestion constitué par le jardin qui s'aperçoit continuellement entre les colonnes, c'est autour du péristyle - visible depuis l'entrée - que sont regroupées la plupart des pièces, de telle sorte que cet espace constitue à la fois le point focal et le vrai noyau de la maison.

Jardin

Avec sa grande décoration scénographique, le mur au fond du jardin constitue la véritable attraction de la maison. Le décor représente un jardin derrière une barrière basse, qui comporte des éléments décoratifs que l'on a rencontré dans d'autres maisons (Maison des Vettii et des Amours dorés). Sur le panneau de droite est peinte une fontaine à laquelle s'abreuvent les oiseaux: sur celui de gauche une statue de Mars. Sur le panneau central s'insère un tableau représentant Vénus allongée dans une coquille et accompagnée de deux amours, poussée par le vent vers la ville dont elle était la protectrice (voir introduction).

54. maison de vénus dans sa coquille

Maison de la Vénus dans sa coquille, fresque de Vénus dans sa conque sur le mur du fond du jardin

Amphithéâtre, intérieur

Heaume de gladiateur, du Portique des théâtres (n. 39). Naples, Musée Archéologique National

L'édifice, le plus ancien qui ait été conservé, fut construit vers 70 av. J.-C. par les duovirs (voir n° 47) *Quinctius Valgus* et *Marcus Porcius*, à leurs frais, comme le rappelle une inscription retrouvée ici. Les hommes politiques étaient tenus de dépenser de fortes sommes en oeuvres publiques. L'amphithéâtre fut adossé à l'angle sud-est des murailles d'enceinte de manière à exploiter ce soutien pour la *cavea* (les gradins pour les spectateurs). D'une capacité d'environ 20000 places, la *cavea* était divisée comme d'habitude en trois parties: la *ima cavea* (les premiers rangs autour de l'arène) pour les magistrats et les citoyens les plus importants; la *media* et la *summa cavea* pour les autres. Le haut parapet qui entoure l'arène était orné de peintures représentant des scènes de gladiateurs, des scènes de chasse, des Victoires, etc. Les combats rituels en l'honneur des défunts rencontraient un grand succès. En 59 ap. J.-C. pendant un spectacle, une violente dispute éclata entre les habitants de Pompéi et ceux de Nocera, qui soutenaient deux «équipes» différentes, se terminant par des morts et des blessés. Le soutien aux équipes n'était cependant qu'un prétexte: en réalité les Pompéiens haïssaient les habitants de Nocera parce que cette dernière, devenue récemment colonie, avait absorbé une partie du territoire de Pompéi. Dans tous les cas, l'empereur Néron «disqualifia» l'amphithéâtre pour dix ans. Après le tremblement de terre de 62 ap. J.-C., il révoqua la disqualification.

Fresque avec la rixe dans l'amphithéâtre de Pompéi, de la Maison I, 3, 23. Naples, Musée Archéologique National

Amphithéâtre, extérieur

Le vaste espace vert entouré de portiques sur trois côtés, comporte au centre une piscine et était ombragé de grands platanes dont on a réalisé le moulage des racines (voir n° 51). Le long de l'axe central, au milieu du portique occidental se trouve une pièce destinée vraisemblablement au culte de l'empereur dont la statue devait être exposée sur la base encore en place. Les portails sur le côté oriental furent reconstruits en *opera laterizia* (noyau en mortier et pierres revêtu de briques) après les dommages causés par le tremblement de terre de 62 ap. J.-C. Au moment de l'éruption, le mur sur le côté nord, n'avait pas encore été réparé et gisait à terre. On l'a redressé à l'occasion de restaurations récentes afin de pouvoir y replacer la décoration peinte en III style (voir n° 27 et 49). Du portique sud on accède à une latrine dont l'eau pour le nettoyage était amenée par un canal provenant de la piscine. L'édifice fut construit à l'époque d'Auguste afin de fournir l'espace nécessaire aux exercices gymniques et peut-être militaires des associations de jeunesse soutenues par la propagande impériale.

56. grande palestre

Fouillée dans les années 1954-1956, la nécropole comprend des tombes de différents types: des plus simples, constituées seulement d'une enceinte, aux plus riches, véritables monuments funéraires garnies de décorations architecturales et de sculptures. Comme traditionnellement dans les nécropoles romaines, les tombes sont disposées le long d'une route à grande fréquentation (dans ce cas, celle conduisant à Nocera) afin d'attirer l'attention des passants et de mieux perpétuer le souvenir du défunt et de sa famille (voir n° 25 et 28). Les édifices funéraires de cette nécropole vont du milieu du I siècle av. J.-C. à la seconde moitié du I siècle ap. J.-C.

57. nécropole de la porte de nocera

Nécropole de la Porte de Nocera, en haut tombe des Flavii, en bas tombes à édicule et à exèdre

Tombe des Flavii
Datable de l'époque républicaine tardive (50-30 av. J.-C.), la tombe est un *unicum* parmi les édifices funéraires de Pompéi.
Elle est constituée de deux chambres funéraires disposées de part et d'autre d'un arc; la façade est articulée en niches dont certaines conservent l'épitaphe et le portrait des défunts. Elle appartient aux *liberti* (esclaves affranchis) d'un *Publius Flavius*, probablement un des colons venus à Pompéi lorsqu'en 80 av. J.-C., la ville conquise par Sylla en 89 av. J.-C. au cours de la «guerre sociale», devint colonie romaine.
On considère que ce type d'édifice funéraire est caractéristique de la classe des liberti.

Tombe à édicule et à exèdre
Construite à l'époque de Tibère (14-37 ap. J.-C.) par la prêtresse de Vénus Eumachia pour elle et sa famille, la grande tombe centrale est la plus monumentale des tombes de Pompéi. Elle est constituée d'une terrasse couronnée par une exèdre avec à l'intérieur une chambre funéraire et une enceinte à l'arrière. Déjà dépouillée de sa décoration lorsqu'elle fut découverte, la partie supérieure devait être articulée en une série de niches avec statues séparées par des demi-colonnes et couronnée d'une frise en relief représentant un combat d'Amazones. Sur la terrasse, une série de bornes en forme de buste humain stylisé indiquent les sépultures (voir n° 25). La tombe fut insérée entre deux autres préexistantes afin d'en augmenter l'effet scénographique.
Les deux tombes latérales, d'époque républicaine tardive, sont du type «à édicule»: un haut podium sur lequel se trouve une cella avec les statues des défunts.

La porte et la portion de mur adjacente appartiennent à ce que l'on nomme la «phase samnite». Elles furent en effet construites au cours du IV siècle av. J.-C. après l'occupation de Pompéi par les Samnites vers la fin du V siècle av. J.-C. (voir également introduction et n° 2 et 28). Des fouilles récentes ont mis en évidence sur la partie extérieure de la porte des restes de la première phase de construction des murs. Le passage qui introduit dans la ville est flanqué de robustes bastions défensifs.
La hauteur importante de la porte est due à un abaissement postérieur du niveau de la route.

58. porte de nocera et mur d'enceinte

Nécropole de la Porte de Nola, tombe de Aesquilia Polla

Comme pour les autres nécropoles de Pompéi (voir N° 25, 28, 57), cet ensemble de tombes était situé à l'extérieur de la Porte de Nola, à l'est de la route qui sortait de la ville. Les tombes les plus importantes sont celles de Aesquilia Polla et de M. Obellius Firmus.

Tombe de Obellius Firmus
La première tombe que l'on rencontre le long de la nécropole est celle de Obellius Firmus, un des personnages les plus en vue dans les dernières années à Pompéi. Entourée d'une enceinte quadrangulaire en maçonnerie revêtue d'enduit blanc, elle présente un fronton avec une pierre dédicatoire et un cippe au centre (avec un trou pour les libations) qui indique l'emplacement de l'urne en verre contenant les cendres du défunt (voir n° 25).

Tombe de Aesquilia Polla
A la tombe de Obellius Firmus succède une autre du type à exèdre (voir n° 57), réalisée en tuf de Nocera. Encadrée par des pattes de lion ailées, elle présente au centre une colonne ionique. La colonne termine par une amphore en marbre, qui métaphoriquement devait contenir l'eau lustrale de la défunte, décorée d'un trident en fer pour empêcher les oiseaux d'y faire leur nid. Comme l'inscription l'indique, la tombe fut dédiée par Numerius Herennius Celsius, un personnage influent de l'époque d'Auguste, à sa femme de vingt deux ans Aesquilia Polla.

index des lieux et des édifices

Achevé d'imprimer en juillet 2002
Pour le compte de l'Electa Napoli

Photocomposition: Grafica Elettronica, Napoli
Photolithographie & impression: SA.MA., Quarto (Napoli)
Reliure: Legatoria S. Tonti, Mugnano (Napoli)